Gareth Lloyd James

Gomer

I gofio am Angharad Mair Williams –
cyn-ddisgybl, a'r ferch ddewraf
i mi ei hadnabod erioed

Cyhoeddwyd yn 2012
gan Wasg Gomer, Llandysul, Ceredigion SA44 4JL
www.gomer.co.uk

ISBN 978 1 84851 380 8

Dymuna'r cyhoeddwyr gydnabod cymorth
adrannau Cyngor Llyfrau Cymru.

Argraffwyd a rhwymwyd yng Nghymru gan
Wasg Gomer, Llandysul, Ceredigion.

Cynnwys

1

Diflas! Diflas! Diflas!

Eisteddai Glyn ar silff ffenest ei stafell wely a'i dalcen yn gorffwys yn ysgafn yn erbyn y gwydr. Edrychodd allan yn drist ar y diferion glaw ysgafn oedd bellach yn creu smotiau bach llwyd ar y patio concrid islaw, a daeth pwl o unigrwydd drosto.

Roedd hi'n wyliau haf. Pythefnos i mewn i'r gwyliau, a bod yn fanwl gywir, a doedd Glyn heb weld yr un o'i ffrindiau ers i'r ysgol gau. Yn amlwg, roedd diwedd y tymor wedi bod yn llawn hwyl a helynt. Roedd hynny'n bennaf oherwydd mai hon oedd blwyddyn olaf Glyn a'i ffrindiau yn yr ysgol gynradd. Ym mis Medi bydden nhw'n mynd i'r 'ysgol fawr', ac roedd pawb yn edrych ymlaen yn eiddgar at hynny. Ond roedd rhywbeth yng nghefn meddwl Glyn oedd yn gwneud iddo boeni. Er na wyddai'n iawn beth oedd yn ei ofidio, eto i gyd roedd yr holl brofiad o feddwl am fynd i'r ysgol fawr yn gwneud i'w stumog droi o bryd i'w gilydd.

Roedd Glyn yn dal i syllu ar y patio pan gerddodd ei fam i mewn yn cario basged yn llawn o ddillad brwnt.

'Wel, Glyn bach! Ti'n dal heb neud dy wely! A sawl gwaith sy ishe i fi weud wrthot ti am roi dy ddillad brwnt yn y fasged? Maen nhw'n addo tywydd braf y pnawn 'ma, a dwi ishe rhoi golch mas!'

Trodd Glyn ei ben yn araf a syllu'n drist ar ei fam. Sylwodd Glenys Davies ar yr olwg ddiflas yn llygaid ei mab a gollyngodd y fasged dillad brwnt yn ysgafn ar y gwely. Aeth draw ato.

'Dere mla'n nawr, Glyn! Ma pedair wthnos o wylie ar ôl 'da ti o hyd. Paid â'u gwastraffu nhw'n eistedd fan hyn yn teimlo trueni drosot ti dy hunan! Dwi'n gwbod dy fod ti'n gweld ishe'r bechgyn, ond fe weli di nhw cyn bo hir. Eith yr amser yn gynt wedyn, gei di weld.'

Hanner gwenodd Glyn ar ei fam cyn troi ei ben yn ôl i gyfeiriad y patio a'r ardd gefn. Oedd, roedd y ffaith nad oedd wedi gweld y bois ers pythefnos yn gwneud pethau'n anodd iddo. Roedd Jac a Rhodri i ffwrdd ar eu gwyliau a Deian ar y gwair. Wrth gwrs, gallai ddeall yn iawn pam na chafodd wahoddiad i helpu ar fferm tad-cu Deian, yn enwedig ar ôl yr holl ffwdan a achosodd adeg cneifio dro yn ôl. Doedd e erioed wedi gweld neb mor grac â'i dad-cu y diwrnod hwnnw pan sylwodd fod Glyn druan wedi gadael y giât ym mhen pella'r cae ar agor a bod yr holl ddefaid wedi crwydro allan i'r heol fawr ac i lawr i sgwâr y pentref! Yn dilyn sawl awr o gwrso, rhedeg a gweiddi, llwyddwyd i gael pob un yn ôl i'r gorlan cyn iddi nosi. Ond roedd pawb yn gwgu ar Glyn erbyn hynny gan y byddai'n rhaid iddyn nhw fynd 'nôl drannoeth i orffen cneifio gweddill y defaid.

Penderfynodd Glyn fynd allan i'r ardd gefn i gicio pêl yn erbyn wal. Daeth o hyd i hen bêl ledr o dan y berth yng ngwaelod yr ardd; rhoddodd aer ynddi a threulio'r chwarter awr nesaf yn sgorio goliau di-ri rhwng dwy bibell a redai i lawr talcen y tŷ. Ond ar ôl rhyw chwarter awr, teimlai Glyn yn ddiflas unwaith eto, yn enwedig gan ei bod hi bellach yn bwrw glaw'n drwm a'r diferion yn dechrau creu rhaeadrau bach i lawr cefn ei ben a'i wddf. Aeth i mewn i'r tŷ er mwyn cael diod boeth a bisgeden i godi'i galon. Wrth iddo fynd i mewn i'r gegin ac eistedd ar gadair wrth ymyl y bwrdd, clywodd ei fam yn sgwrsio ar y ffôn.

'Bydd nos Wener yn grêt, Ann . . .'

Cododd Glyn ei aeliau i edrych arni. Ann oedd enw mam Jac . . .

'Ddwedwn ni chwech o'r gloch 'te? Fan hyn? Iawn. Edrychwn ni mla'n at hynny. Hwyl!'

Edrychodd Glyn yn eiddgar ar ei fam. Beth oedd yn digwydd am chwech? Fan hyn? Nos Wener?

'Wel,' dechreuodd ei fam egluro, 'wnei di fyth ddyfalu pwy oedd ar y ffôn!'

'Ann Morris . . . mam Jac?' gofynnodd Glyn yn araf.

'Ie. Ond wnei di fyth ddyfalu beth oedd hi'n moyn!'

‘Dere mla’n ’te, Mam! Gwed wrtha i’n glou!’

Roedd Glyn ar bigau’r drain eisiau gwybod beth oedden nhw wedi’i drefnu. Os oedd Jac yn dod i aros nos Wener, roedd ganddo lwyth o bethau i’w paratoi o flaen llaw.

‘Wel, mi ffoniodd Ann i ofyn wyt ti’n gneud rhwbeth y penwythnos ’ma, ac os nad wyt ti, a fyddet ti’n hoffi mynd gyda Jac a’i gefndryd am benwythnos i sir Benfro?’

Agorodd Glyn ei geg led y pen. Mynd bant? Am benwythnos? I sir Benfro? Gyda Jac . . . a’i gefndryd? Waw!

‘Dwi’n cymryd mai “Ie” yw dy ateb di ’te?’

Gwenodd Glenys Davies ar ei mab. Dyma’n union beth oedd ei angen arno. Penwythnos bant o’r cartref, yng nghwmni’i ffrind gorau. Ac yn fwy na dim, dyma’n union beth oedd ei angen arni hithau hefyd! Penwythnos o dawelwch heb Glyn yn llusgo’i wyneb hir o gwmpas y tŷ!

Cododd Glyn o’i gadair a dechrau cerdded i gyfeiriad y grisiau er mwyn estyn ei sach gysgu o’r cwpwrdd crasu. Ond cyn iddo gyrraedd pen draw’r cyntedd, clywodd lais ei fam yn gweiddi arno o’r gegin.

‘O ie, a Glyn . . . anghofies i ddweud . . . Ma Deian a Rhodri’n mynd hefyd!’

* * *

Ym maes awyr Rhufain roedd Rhodri pan glywodd ffôn symudol ei fam yn canu ac yna'n dirgrynu yn ei phoced. Tynnodd hithau'r ffôn allan gan ddarllen y neges destun yn dawel iddi'i hun, ac yna'n uchel wedi iddi sylweddoli mai neges i Rhodri oedd hi. Agorodd yntau ei lygaid led y pen pan glywodd beth oedd o'i flaen pan laniai'r awyren 'nôl yng Nghymru. Danfonodd ei fam neges gyflym yn ôl at Ann Morris yn dweud y byddai Rhodri wrth ei fodd yn gweld ei ffrindiau eto – a hynny yn sir Benfro dros y penwythnos. Er bod Rhodri wedi mwynhau pob eiliad o'r deng niwrnod roedd e wedi'u treulio gyda'i rieni yn Rhufain, gwyddai yn ei galon y byddai deuddydd yng nghwmni'i ffrindiau yn sir Benfro'n fwy o hwyl o lawer! Ond ni ddywedodd air wrth ei rieni!

* * *

Pylodd y gawod ddiweddaraf o law obeithion y ffermwyr lleol y gallen nhw barhau â'r cynhaeaf am weddill y diwrnod. Ac wrth eistedd yng nghegin y ffermdy'n gwrando ar ragolygon y tywydd ar y radio am y diwrnodau nesaf, pylodd eu gobeithion hefyd am allu ailgydio yn y gwaith tan ar ôl y penwythnos. Ond yng nghanol y ffermwyr siomedig roedd yna un bachgen yn gwenu. Roedd e'n gwenu am ei fod yntau hefyd wedi cael ei wahodd i fynd i sir Benfro am y penwythnos; gan i'w dad-cu addo y câi benwythnos rhydd petai hi'n troi'n law, gwyddai mai yng nghwmni ei ffrindiau y byddai'n treulio'r penwythnos hwn, ac nid yng nghanol peiriannau'r fferm. Byddai'n fwy na pharod i ddod 'nôl i'r fferm y dydd Llun canlynol – ond, am y tro, roedd Deian yn edrych mla'n at gael hwyl gyda'r bois!

* * *

Cariodd Glyn ei fag a'i sach gysgu i lawr y grisiau a'u gadael ar lawr y cyntedd. Edrychodd ei fam yn syn arno.

'Be ti'n neud, Glyn bach?' gofynnodd yn ddryslyd.

Edrychodd Glyn yn ôl arni yr un mor ddryslyd. 'Paco – i fynd i sir Benfro!'

'Ond dim ond nos Fercher yw hi! Dy'ch chi ddim yn mynd tan chwech o'r gloch nos Wener! Ma gyda ti fory i gyd a thrwy'r dydd dydd Gwener i aros!'

Eisteddodd Glyn yn swp ar ben ei fag trwm.

'Diflas iawn!' meddai.

2

Anrheg anhygoel!

Cyrhaeddodd chwech o'r gloch nos Wener o'r diwedd. Yn ystod y deuddydd o aros bu Glyn yn pacio a dadbacio'i fag, yna'i bacio unwaith eto cyn ei ddadbacio a'i bacio unwaith yn rhagor! Gwnaeth yn siŵr fod ganddo fatris newydd sbon yn ei fflachlamp, a digon o sanau trwchus i gadw'i draed yn gynnes. Bu hefyd wrthi'n gwasgu'i sach gysgu'n rholyn cyn lleied â phosib, gan fod angen pob modfedd sbâr arno yn ei fag ar gyfer cario'i holl offer gwersylla.

Ar ôl deall mai gwersylla mewn pabell fyddai'r criw o ffrindiau, llwyddodd Glyn i berswadio'i fam bod angen mynd i'r siop wersylla yn y dref i brynu stôf fach nwy a sosban i goginio'i frecwast, heb sôn am fflachlamp bwerus rhag ofn i rywbeth ei ddychryn ganol nos! Cytunodd hithau i brynu'r nwyddau 'angenrheidiol' yma, yn enwedig gan fod Glyn yn edrych ymlaen cymaint at yr antur. Doedd hi ddim wedi'i weld yn dangos cymaint o frwdfrydedd ers tro, a phenderfynodd y byddai'n galw mewn un siop ychwanegol yn y dref cyn mynd adref.

Wrth i'r ddau gerdded ar hyd y stryd fawr yn cario'r bagiau llwythog, roedd Glyn yn mynd drwy'r rhestr nwyddau'n dawel yn ei ben.

'Ydy popeth gyda ni, Glyn?' gofynnodd ei fam wrth sylwi ar ei dawelwch.

'Dwi'n credu bod e,' atebodd o'r diwedd.

'Wel, dwi'n gwbod am un peth sydd ar ôl i'w brynu,' meddai ei fam, gan hanner gwenu.

Edrychodd Glyn arni'n hurt. Doedd bosib fod hynny'n wir!

'Dere gyda fi!' meddai ei fam gan ei arwain ar draws y stryd fawr tuag at siop yn gwerthu ffonau symudol.

Arhosodd y ddau y tu allan i'r ffenest fawr oedd yn llawn o'r modelau diweddaraf. Edrychodd Glyn drwy'r ffenest heb ddeall yn iawn pam oedd ei fam wedi aros i edrych arnyn nhw. Yna, gwawriodd arno!

'Be? Dwi'n cael ffôn symudol?' meddai, a'i lygaid ar agor led y pen. Edrychodd ei fam arno gan wenu. 'Ond chi wastad wedi gweud mod i'n rhy ifanc i gael ffôn, er bod gan bron *bawb* arall un!' dadleuodd Glyn.

'Wel, meddwl o'n i, gan dy fod ti'n mynd i'r ysgol uwchradd eleni, dy fod ti'n ddigon hen i gael un. Ac yn fwy na hynny, yn ddigon *cyfrifol* i gael un.'

'Ga i ddewis unrhyw ffôn dwi ishe?' gofynnodd Glyn yn sydyn wrth sylwi ar yr holl fathau gwahanol oedd ar gael.

Chwarddodd ei fam. 'O na!' atebodd. 'Bydd yn

rhaid i ni ddewis un rhesymol. Dim byd rhy grand, na rhy ddrud! Ond fe gei di ddewis un sy'n cynnwys camera. Iawn?'

Gwenodd Glyn arni. 'Dim problem!' atebodd. O'r diwedd, roedd ei fam wedi troi'n cŵl!

Hanner awr yn ddiweddarach cerddodd y ddau allan o'r siop. Erbyn hynny, roedd Glyn yn cario bag bach oren ychwanegol yn agos iawn at ei gorff rhag ofn iddo'i golli. Roedd e wedi cael ffôn wrth ei fodd! Roedd e'n ysu i gael cyrraedd adref i osod y cerdyn bach SIM yn ei berfedd a dechrau tecstio'i ffrindiau â'i rif ffôn *personol*. A doedd dim problem gan Glyn ynglŷn â chyngor ei fam i fod yn gyfrifol – i beidio â chysylltu â neb heblaw ei ffrindiau, ac i beidio â gwario mwy na phum punt y mis. Wedi'r cyfan, roedd hi erbyn hyn yn dechrau ei drin fel person ifanc, nid fel y bachgen bach drwg yr arferai fod. Cerddodd Glyn i lawr y stryd y diwrnod hwnnw gan deimlo'n hapus iawn, iawn.

A nawr, wrth aros am Jac a'i gefndryd i ddod i'w gasglu, roedd y ffôn symudol yn saff ym mhoced ei drowsus. Roedd e wedi derbyn tecst gan Jac hanner awr yn ôl, yn dweud eu bod nhw ar y ffordd, ac y dylai gadw'i lygaid ar agor am y campyr-fan fwya cŵl a welodd neb erioed! Roedd cefndryd Jac dipyn yn hŷn na'r bechgyn, a nhw oedd bia'r campyr-fan y byddai'r bechgyn yn teithio ynddi yr holl ffordd i sir Benfro. Roedden nhw eisoes wedi casglu Deian a

Rhodri, felly dim ond Glyn oedd ar ôl cyn iddyn nhw anelu i gyfeiriad y de-orllewin yn y gobaith o gyrraedd yno cyn iddi nosi. Roedd y glaw'n dal i ddiferu'n ysgafn ond roedd Glyn yn benderfynol o beidio â gadael i'r tywydd ddifetha'u penwythnos o wersylla.

O'r diwedd, gwelodd gerbyd anghyffredin yr olwg yn arafu wrth agosáu at ei dŷ. Syllai wynebau cyfarwydd arno drwy'r ffenestri, a rhuthrodd Glyn allan drwy'r drws ffrynt. Roedd cymaint o frys arno nes y bu bron iddo adael ei fag yn y cyntedd. Brysiodd yn ôl i'w gasglu, a cherdded mor gyflym ag y medrai tuag at y cerbyd a'i ffrindiau. Roedd ei fam yn dynn wrth ei gwt.

'Shw'mae, fechgyn?' meddai hithau gan wenu ar bawb yn eu tro.

Agorwyd y ffenest flaen gan fachgen ifanc tal, a wenodd yn llydan wrth gyfarch Glenys Davies.

'Chi yw mam Glyn, ife? Neis cwrdd â chi! Cai ydw i ac Aron yw enw fy mrawd fan hyn – fe sy'n gyrru heddi!'

'Neis cwrdd â chi, fechgyn,' atebodd hithau gan barhau i wenu.

'Sdim eisie i chi boeni am Glyn,' ychwanegodd Aron, wrth blygu draw o sedd y gyrrwr. 'Bydd e'n ddigon saff 'da ni. Ma Cai a finne'n ddigon cyfarwydd â gwersylla – wedi bod wrthi ers blynyddoedd, ac wedi arwain teithiau gyda chriwiau o blant hefyd, sawl gwaith!'

Gwenodd Glenys Davies unwaith eto, yn berffaith fodlon. Roedden nhw'n edrych yn fechgyn neis iawn. A chwrtais hefyd! Roedd Ann Morris, mam Jac, wedi canmol plant ei brawd i'r cymylau gan ddweud y byddai Jac, Glyn, Deian a Rhodri'n gwbwl ddiogel gyda nhw.

'Dim ond chi fydd 'na, neu oes rhagor ohonoch chi'n cwrdd yn y gwersyll?' gofynnodd wedyn.

'Ni'n cwrdd â dwy ffrind i ni, ac maen nhw'n dod â rhyw berthnase 'da nhw 'fyd. Felly bydd criw go lew ohonon ni yno.'

'Chi 'di cael rhyw waith neu'i gilydd ar bwys y gwersyll, dwi'n deall?'

'Do, yng Nghastell Henllys, y gaer Geltaidd sy'n agos at Bentre Ifan. Byddwn ni'n gorfod gwisgo fel Celtied am y penwthnos a diddanu ymwelwyr â straeon a hanesion y llwyth! Gewn ni dipyn o sbort, siŵr o fod!' chwarddodd Cai gan edrych yn ddireidus ar ei frawd.

Ymunodd Aron yn y sgwrs. 'Gall y bechgyn ymuno â ni bob dydd os 'yn nhw'n moyn . . . neu fe allan nhw ddiddanu'u hunen. Ma digon o ddychymyg 'da nhw, dwi'n siŵr!'

Cytunodd Glenys Davies. Roedd *hen* ddigon o ddychymyg gyda'r bechgyn! Gormod, os rhywbeth!

'Well i ni fynd 'te, Mrs Davies,' meddai Cai eto. 'Dy'n ni ddim am frysio i lawr – 'i chymryd hi gan bwyll bach fyddwn ni, a chyrraedd gobeithio cyn nos i osod y pebyll a chael tamaid o swper cyn cysgu.'

'Wna i mo'ch cadw chi eiliad yn rhagor 'te!'

Camodd Glenys Davies yn ôl gan wrando ar Aron yn tanio'r injan cyn gyrru'n ofalus allan i'r ffordd fawr. Cododd ei llaw ar y criw yn y cefn wrth i Glyn bwyso'i wyneb ar y gwydr a gwneud ystum arni y byddai'n ei ffonio rywbryd.

Trodd hithau ar ei sawdl a cherdded yn ôl i gyfeiriad y tŷ gan edrych ymlaen at benwythnos dawel yn absenoldeb Glyn. Roedd Esyllt, ei chwaer fach, yn ddigon ddiffwdan, ac felly byddai'r tŷ'n baradwys am ychydig!

Roedd y bechgyn yn siŵr o gael amser wrth eu boddau. Ac am y tro cyntaf ers hydoedd, teimlai Glenys Davies yn hyderus fod Glyn a'r bechgyn wedi aeddfedu tipyn yn ystod yr wythnosau diwethaf, ac y bydden nhw'n siŵr o fihafio'u hunain dros y penwythnos. Rywsut neu'i gilydd, roedden nhw wedi glanio mewn rhyw helynt neu'i gilydd ar bob un o'u teithiau diweddar gyda'r ysgol. A dim ond ychydig wythnosau'n ôl y cafwyd yr holl helynt hwnnw yn Llangrannog! Ond nawr eu bod nhw ar fin mynd i'r ysgol uwchradd, ac yng nghwmni dau ddyn ifanc aeddfed a chall, heb y merched bondigrybwyll yna'n eu cynhyrfu nhw – beth oedd eu henwau nhw eto? Megan! Megan a'i chriw! Heb y rheini, byddai'r bechgyn yn saff o gael penwythnos dawel, braf yn sir Benfro. Doedd dim amheuaeth am hynny!

3

Yn y campyr-fan

Gyrrodd Aron y campyr-fan bach lliwgar yn ofalus ar hyd ffyrdd troellog cefn gwlad gwaelod Ceredigion. Roedd y stereo'n tasgu cerddoriaeth gyfoes Gymraeg drwy'r seinyddion, ac yn y cefn roedd y bechgyn yn sgwrsio'n llawn cyffro ac yn rhannu manylion pythefnos gyntaf eu gwyliau haf. Roedd Deian yn parablu am yrru tractors a chario bêls tra bod Rhodri'n sôn am y Colosseum a'r Fatican. Rhannodd Jac ambell stori am ei gampau a'i driciau gyda'i ddau gefnder a Rhys, ei frawd bach druan, a gwrandawodd Glyn ar y cyfan gan nodio'i ben yn frwdfrydig a llowcio diod befriog o'i botel bop. Doedd gan Glyn ddim byd o bwys i sôn amdano wrth y bechgyn. Wedi'r cyfan, dim ond eistedd gartre'n diddanu'i hunan y bu'n ei wneud mor belled. Roedd y tri arall wedi cael llawer mwy o hwyl nag y cafodd ef. Yna, cofiodd fod ganddo rywbeth arbennig ym mhoced ei drowsus.

'Chi ishe gweld fy ffôn newydd i, bois?' gofynnodd yn sydyn gan estyn i'w boced yn ofalus.

'Ie, dere i ni'i weld e 'te, Glyn!' atebodd Jac yn

sydyn. 'Shwt ddest di i ben â thwyllo dy fam i brynu hwn i ti 'te? Ti wedi bod yn gofyn am un ers oes pys!'

'Sdim angen i ti f'atgoffa i, Jac! O'n i wedi rhoi'r gore i'w phoeni hi â dweud y gwir. Ond ddydd Iau, dyma Mam yn penderfynu prynu ffôn, heb i fi orfod 'i phoeni hi o gwbwl! Na'th hi jyst mynd â fi i'r siop a phrynu ffôn newydd sbon i fi!'

'Ew, ti'n lwcus, Glyn boi!' meddai Rhodri, oedd wedi cydio yn y ffôn er mwyn cael golwg fanylach arno. 'Trueni na fydde Mam yn gneud yr un peth. Dwi 'di gofyn a gofyn iddi brynu un i fi. Ond na! Dim gobaith!'

'Falle gei di un nawr, gan bod Glyn wedi cael un,' awgrymodd Deian. Estynnodd am ei ffôn yntau o'i boced a'i gymharu ag un ei ffrind. 'Jiw, ma hwn yn un neis 'fyd! Ti'n gallu mynd ar y we?'

'Ydw, dwi'n gallu ffonio, tecstio, tynnu lluniau *a* mynd ar y we. Unrhyw beth!' atebodd Glyn gan wenu. 'Ond dwi ddim yn mynd i wneud hynny'n aml gan ei fod yn costio'n ddrud,' ychwanegodd yn gyflym. 'A dim ond pumpunt y mis sy 'da fi i'w wario arno, felly peidwch â gofyn i fi fynd ar y we byth a beunydd achos bydde hynny'n wastraff arian.'

Nodiodd y bechgyn eraill i gytuno â Glyn. Pumpunt y mis oedd eu huchafswm hwythau hefyd.

'Paid â becso, Rhods boi,' dechreuodd Deian gan daflu'i ffôn i gôl ei ffrind. 'Gei di ddefnyddio fy ffôn i os wyt ti am decstio Bethan!'

'Wwwwwwwwwww!' llafarganodd y bechgyn gyda'i gilydd. Gwridodd Rhodri hyd fôn ei wallt.

'Peidiwch â dechrau hynna i gyd 'to!' meddai'n swil. Roedd e wedi cael llond bol ar y bechgyn yn tynnu'i goes jyst achos ei fod e'n ffrindiau mawr gyda Bethan.

'Pryd wnest ti siarad â hi ddwetha 'te, Rhods? Ti wedi cael gair â hi ers iti ddod 'nôl o Rufain?' gofynnodd Jac yn fusneslyd.

'Naddo, ches i ddim cyfle,' atebodd Rhodri'n drist. 'Wnes i ffonio'i chartre hi y pnawn 'ma, ond wedodd ei mam ei bod hi 'di mynd bant 'da Megan am y penwthnos, felly wela i hi'r wthnos nesa, siŵr o fod.'

'O, druan â phwy bynnag sy'n mynd i aros yn yr un man â Megan am y penwthnos!' meddai Glyn yn uchel. 'Meddyliwch! Cael honna'n sbwylio popeth gyda'i hen dricie slei! Chwarae tricie ysbryd ganol nos! Hy! Gobeithio wir na fydd hi yn yr un dosbarth cofrestru â ni yn yr ysgol fis Medi! Dwi 'di ca'l llond bol arni!'

Cytunodd y lleill. Teimlai Rhodri ychydig bach yn lletchwith; gan fod Bethan a Megan yn ffrindiau pennaf, roedd yn *rhaid* iddo hoffi Megan *ychydig bach*! Gyda hynny, daeth bloedd o'r sedd flaen.

'We-heeei!' gwaeddodd Cai'n gyffro i gyd. 'Dim ond pum milltir i fynd tan fyddwn ni 'na, fechgyn!'

'I ble'n union 'yn ni'n mynd 'te, Cai?' gofynnodd

Deian gan wneud ei orau glas i sbecian drwy'r ffenest flaen i weld y ffordd yn gliriach.

'I Ganolfan Pentre Ifan,' atebodd Cai, gan ddal pamffled fach liwgar i fyny o'i flaen. 'Canolfan yr Urdd yw hi, ond yn wahanol i'r gwersylloedd erill, dim ond un adeilad mawr sy 'na. Does dim gweithgaredde na dim byd fel'na – jyst lle i aros a gwersylla yng nghanol y coed a'r awyr iach!'

'A pham dewis Pentre Ifan 'te?' holodd Rhodri.

'Achos 'yn bod ni wedi ca'l gwaith mewn lle o'r enw Castell Henllys, hen fryngaer Geltaidd sy'n agos iawn i'r Ganolfan,' ychwanegodd Aron. 'Glywest ti ni'n gweud wrth dy fam yn gynharach? Ni wedi cael gwaith am y penwthnos yn gwisgo fel Celtied, yn actio fel Celtied ac yn byw fel Celtied yng Nghastell Henllys. Maen nhw'n disgwyl nifer o ymwelwyr y penwthnos 'ma, glei, ac felly ma angen mwy o bobl arnyn nhw i helpu. Ma 'da ni ffrindie sy'n dod i weithio yno hefyd – Cari a Llinos. Bydd e'n cŵl!'

'Ma Cari'n dod â rhywrai eraill gyda hi hefyd. Dwi'n credu bod y rheini tua'r un oed â chi . . . ond dwi ddim yn cofio'u henwe nhw nawr . . .'

Gwenodd Glyn ar Jac a Deian. 'Falle nad Rhodri fydd yr unig un â chariad erbyn diwedd y penwthnos 'te, bois!' meddai'n awgrymog.

'Glyn, sdim un ferch yn mynd i dy ffansïo di!' atebodd Deian yn swta.

'Gewn ni weld am 'ny!' poerodd Glyn. 'Aros di!

Bydd ffrindie Cari dros 'u pen a'u clustie mewn cariad â fi erbyn nos Sul! Gei di weld!'

Eisteddodd Glyn yn ôl yn ei gadair unwaith eto a chydio yn ei ffôn newydd. Taflodd Deian gipolwg ar Jac a Rhodri gan guddio gwên. Gwnaeth y ddau arall yr un peth.

'Hei, Cai! Ti'n siŵr nad wyt ti'n cofio enwe'r merched sy'n dod gyda Cari a Llinos?' gofynnodd Deian gan ddal llygad Rhodri.

'Ymm, aros eiliad – dwi'n credu eu bod nhw'n odli â'i gilydd. Aros eiliad nawr . . . Enfys a Carys? Nage . . . Llinor a Geinor? Na . . . O sori, bois! Sai'n gallu cofio!'

Yr eiliad nesaf, trodd y campyr-fan i mewn rhwng dwy giât cyn parcio o flaen hen borthdy Tuduraidd crand. Edrychodd y bechgyn i gyd allan drwy ffenestri stemllyd y cerbyd ar yr adeilad carreg, ac ar y car bach gwyn oedd wedi'i barcio'n dwt yn ymyl drws y brif fynedfa.

'Grêt! Ma Cari a Llinos 'ma'n barod,' meddai Aron gan agor drws y gyrrwr. 'Dewch mla'n, bois. Dechreuwch dynnu'r offer mas drwy'r drws cefn er mwyn i ni gael godi'r pebyll. Sdim eiliad i golli!'

'Ydy'r merched yn aros mewn pebyll hefyd 'te?' holodd Glyn wrth sylwi ar Cari a Llinos yn cario gobennydd dŵfe o'r car i mewn i'r adeilad carreg. Cododd Cai ac Aron law arnyn nhw.

'Na, na, maen nhw'n aros i mewn yn y ganolfan.

Dim ond ni sy'n gwersylla. Tra byddan nhw'n ca'l gwely clyd a chawod boeth, hen sach gysgu ar ddaear galed, laith a molchi mewn bwced o ddŵr oer fyddwn ni'r bechgyn – fel gwersyllwyr go iawn! Ontefe, Cai?'

'Ie glei!' atebodd ei frawd, cyn rhoi *high five* i Aron ac agor drws cefn y campyr-fan.

Edrychodd y bechgyn eraill ar ei gilydd yn bryderus. Roedden *nhw'n* hoffi gwelyau clyd a chawodydd poeth hefyd! Beth oedd hyn am ymolchi mewn dŵr *oer*?!

'Reit 'te, Glyn, cer di â hwn draw fan'na, a Jac, caria di hwn gyda Deian. Rhodri, cydia yn y polion hir 'na, wnei di?' gorchmynnodd Cai wrth fynd i'r afael â gosod y pebyll yn eu lle.

Roedd yna lawnt fawr yn ymyl y ganolfan – lle delfrydol ar gyfer codi pebyll. Cyn hir roedd yr offer i gyd ar lawr a dechreuodd y bechgyn roi help llaw i Aron a Cai wrth iddyn nhw fynd ati i roi'r polion at ei gilydd a thynnu'r cynfasau'n dynn drostyn nhw. Roedd y ddau frawd yn hen law ar godi pebyll, er mai yn y campyr-fan y byddai'r ddau'n cysgu fel rheol. Sylwodd Deian mai dim ond dwy babell oedd, felly gofynnodd sut y bydden nhw'n rhannu'r pebyll rhwng chwech.

'Wel,' dechreuodd Cai, 'bydd dau ohonoch chi'n cysgu yn y babell yma, a dau ohonoch chi'n cysgu yn y babell acw!'

Edrychodd y bechgyn ar ei gilydd. 'Ond beth amdanoch chi?' holodd Glyn yn ddryslyd.

Trodd Cai ac Aron eu pennau i edrych ar y campyr-fan. 'Yn honna fyddwn ni'n cysgu!' meddai Cai'n falch. 'Ma 'da ni wresogydd bach i gadw bysedd ein traed ni'n gynnes drw'r nos!'

'A thegell i ferwi dŵr ar gyfer paned o de yn y bore, ac i ymolchi wrth gwrs,' ychwanegodd Aron.

Edrychodd y bechgyn ar ei gilydd eto. 'Ond beth am yr holl brofiad o *wersylla go iawn* y soniest ti amdano'n gynharach?' gofynnodd Jac yn flin. 'Chi'n gwbod – y ddaear galed, laith, y dŵr oer i molchi, ac yn y bla'n?'

'Gewch *chi* brofi hynny, fechgyn! Ry'n ni'n dau wedi cael hen ddigon o wersylla-awyr-agored dros y blynyddoedd. Yn y campyr-fan fyddwn ni'n gwersylla o hyn mla'n. Ta beth, maen nhw'n gweud bod nifer o lwynogod ac anifeiliaid gwyllt yn byw yn y coed gerllaw, felly'r peth dwetha ry'n ni ishe'i neud yw cysgu mewn rhyw babell fach shimpil drwy'r nos!'

Winciodd Aron ar ei frawd wrth weld yr olwg ofidus ar wynebau'r lleill. Llyncodd Glyn boer yn swnllyd. Edrychodd Jac draw at y goedwig yn ofnus. Dawnsiodd Deian o un droed i'r llall yn bryderus a syllodd Rhodri ar y ddaear o'i flaen. Roedden nhw mor hawdd eu twyllo! Roedd y pedwar wedi cymryd yn ganiataol y bydden nhw'n cysgu gyda'r bechgyn mawr. Ond wrth sylweddoli y bydden nhw ar eu pennau'u hunain, doedd pethau ddim cweit fel roedden nhw wedi'i ddisgwyl.

Aeth pethau o ddrwg i waeth.

Daeth Cari a Llinos yn ôl o'r porthdy'n waglaw ac anelu'n syth at y bechgyn. 'Shw'mae, fechgyn?' gofynnodd Llinos yn llawen. 'Ry'n ni wedi setlo i mewn yn barod. Popeth yn ei le. Dillad yn hongian yn daclus yn y cypyrddau, tywelion yn y stafelloedd molchi . . . popeth!'

Edrychodd y bechgyn ar eu pebyll a'u dillad yn bentwr ar ganol y llawr, a'u sachau cysgu'n wlyb domen ar y ddaear laith rhwng y ddwy babell. 'O, grêt!' ebychodd Glyn yn swta.

Cerddodd Cai ac Aron draw o'r campyr-fan yn llawn cyffro. 'Ferched!' croesawodd Cai hwy â'i freichiau ar led cyn i'r pedwar roi cwtsh cynnes i'w gilydd.

'Wel, ble ma dy g'nither di a'i ffrind hi, 'te?' gofynnodd Aron wrth Cari. 'Sori, dwi ddim yn cofio'u henwe nhw nawr, er i ti weud ar y ffôn . . .'

'O! Megan a Bethan! Ydyn, maen nhw wrthi'n berwi'r tegell yn barod i . . .'

'Beth ddwedest di?' torrodd Glyn ar ei thraws yn sydyn.

Edrychodd Cari arno'n hurt. 'Ym . . . gweud o'n i eu bod nhw wrthi'n berwi'r tegell yn barod i wneud te . . .'

'Na, na,' meddai Glyn eto. Beth ddwedest ti cyn hynny . . ? Beth ddwedest di o'dd 'u henwe nhw?'

'Ym . . . Megan a Bethan?'

'Megan a Bethan!' meddai Glyn fel adlais wrth i'r gwir wawrio arno. Megan a Bethan. Roedd y ddwy wedi dod i wersylla *yma* yng Nghanolfan Pentre Ifan. Yn yr un lle â nhw!

Ar y gair, cerddodd y ddwy allan o'r ganolfan gan sefyll yn stond ar stepen y drws. Chwifiodd Bethan ei llaw'n frwd wrth sylwi ar Rhodri, ond syllu'n galed ar Glyn wnaeth Megan cyn plethu'i breichiau, troi'i chefn, a martsio 'nôl i mewn i'r porthdy gan gau'r drws yn glep ar ei hôl.

Edrychodd Cai ac Aron, a Cari a Llinos, ar ei gilydd yn ddryslyd.

'Oes problem?' gofynnodd Cari.

'Chi'n 'u nabod nhw?' gofynnodd Aron.

'O, ydyn!' llafarganodd y bechgyn yn drist.

4

Cŵn poeth

Cariodd Megan yr hambwrdd pren gyda naw disgled o de arno ar draws y lawnt at y criw oedd yn eistedd o amgylch coelcerth o dân braf. Cynigiodd Bethan roi help llaw iddi, ond chwifiodd Megan hi i ffwrdd.

'Na, na, fydda i'n iawn,' meddai'n frysiog. 'Reit, dyma chi . . . Aron a Cai – tair llwyaid o siwgr, ontefe? Cari a Llinos – dim siwgr o gwbwl, ac wedyn un llwyaid yr un i ti Bethan, Rhodri, Deian a Jac. Www . . . ie, a dyma un ddisgled ar ôl i fi!'

Cydiodd Megan yn yr unig gwpan oedd yn weddill cyn eistedd yn ymyl Bethan ar y glaswellt. Edrychodd pawb i gyfeiriad Glyn ac yna'n ôl at Megan. Cododd yntau ei ysgwyddau mewn penbleth.

'Ble ma 'nhe *i* 'te?' gofynnodd yn flin.

'O sori, Glyn,' atebodd Megan yn gyflym. 'Mae'n rhaid mod i wedi'i adael e ar ôl yn y gegin. Neu . . . erbyn meddwl, falle mod i wedi anghofio gneud disgled o gwbwl i ti!' Chwarddodd Megan yn uchel cyn cymryd dracht o'i the.

Doedd Glyn ddim yn gweld y peth yn ddoniol o gwbl. 'Gwed ti!' wfftiodd cyn codi ar ei draed a martsio i mewn i'r tŷ i wneud te iddo'i hun. Edrychodd o amgylch y cyntedd yn wyllt cyn crwydro i chwilio am y gegin. O'r diwedd, daeth o hyd iddi a gwnaeth ddisgled o de ffres â llwyaid fawr o siwgwr a diferyn o laeth. Cydiodd yn y bag te â'i lwy gan sbecian o amgylch y gegin yn chwilio am y bìn sbwriel. Ar ôl treulio munud neu ddwy'n chwilio ym mhob twll a chornel a thu mewn i bob cwpwrdd, penderfynodd roi'r gorau iddi a gadawodd y llwy a'r bag te i orffwys wrth ymyl y tegell.

Ond yn sydyn, wrth iddo gydio yn ei baned ac anelu am y drws, cafodd syniad. Gosododd ei gwpan yn ôl ar y bwrdd cyn cydio yn y bag te â'i fysedd a'i gario fel llygoden i'r stafell wely, lle roedd gwely Megan yn sefyll yn dwt ac yn daclus yn ymyl gwely Bethan. Roedd hi'n hawdd adnabod gwely Megan oherwydd roedd ganddi orchudd dŵfe gyda'r enw MEGAN ar ei draws a blodau pinc drosto i gyd. Ych a fi, wfftiodd Glyn. Cerddodd ar flaen ei draed at y gwely cyn codi'r dŵfe, gosod y bag te gwlyb ar ganol y gwely, a'i orchuddio â'r dŵfe unwaith eto. Hy! Fe ddysgai hynny iddi beidio â gwneud te iddo eto, a gwneud sbort am ei ben o flaen ei ffrindiau gorau, meddyliodd.

Trodd ar ei sawdl a mynd i gasglu ei de cyn ymuno â'r lleill ger y goelcerth a oedd erbyn hyn yn llosgi'n braf.

Edrychodd Megan arno'n amheus. 'Fe gymerest ti dy amser,' meddai.

Anwybyddodd Glyn hi. 'Reit 'te, bois,' meddai gan rwbio'i ddwylo yn erbyn ei gilydd, 'beth sy i swper?'

Estynnodd Cai i'w fag gan dynnu pecyn mawr o selsig trwchus ohono a'u pasio i Glyn. Dechreuodd hwnnw agor y pecyn gan dynnu'r haenen denau o blastig i ffwrdd yn ofalus. Yna, estynnodd Cai fforc yr un i'r pedwar bachgen cyn egluro beth oedd yn rhaid iddyn nhw ei wneud. 'Fel hyn y byddwch chi'n cwcan swper heno, bois bach!' meddai, gan gydio mewn selsigen a gwthio pigau'r fforc drwyddi. Yna, fe'i daliodd o'i flaen yn agos at wres y tân gan droelli dolen y fforc yn araf rhwng ei fysedd.

Gwyliodd y bechgyn yn syllu'n geg agored wrth i'r selsigen newid ei lliw'n araf a phoeri saim yn swnllyd dros y lle. 'Oes rhywun wedi blasu selsig ar ôl iddyn nhw gael 'u coginio fel hyn o'r bla'n?' gofynnodd Cai wrth ddal ati i droelli'r selsigen yn ofalus. Ysgydwodd pawb eu pennau'n araf.

Pawb ar wahân i Aron, wrth gwrs. 'Maen nhw'n blasu gymaint yn well fel hyn,' meddai yntau wrth gydio mewn fforc arall a gosod selsigen dew ar ei blaen. 'Fyddwch chi byth ishe coginio selsig mewn ffwrn na ffreipan eto ar ôl blasu'r rhain!'

Plygodd y pedwar bachgen ymlaen yn nes at y tân er mwyn coginio'u selsig nhw. Cyn hir, roedd selsigen Cai wedi coginio'n drwyadl, a chwythodd ychydig arni cyn cnoi darn i ffwrdd â'i ddannedd. Caeodd ei lygaid wrth fwyta'r cig yn awchus. Yn ystod yr amser hwn ni ddywedodd neb air wrth ei wylio'n bwyta. Cyn bo hir, agorodd Cai ei lygaid ac edrych ar y lleill. 'Gwych!' meddai, cyn estyn i nôl ail selsigen.

Erbyn hyn roedd selsig y lleill yn barod hefyd, a dechreuon nhw fwyta yr un mor awchus. Wedi'r cyfan, dyma oedd eu swper nhw. Ar ôl cnoi'r darn cyntaf, cwynodd Jac nad oedd ganddo sôs coch i'w roi ar ei swper, felly brysiodd Aron i'r campyr-fan i nôl peth. Gwasgodd Jac y sôs ar hyd ei selsigen nes ei bod yn diferu cyn ei bwyta'n gyflym gan losgi'i dafod wrth wneud.

'Oes digon o selsig 'da chi?' gofynnodd Llinos yn sydyn wrth i'r arogl godi chwant bwyd arni hithau. 'Ma 'na lwyth o rôls 'da ni yn y gegin. Beth am gael cŵn poeth?'

'Www, ma hynna'n swnio'n berffeth i fi!' cytunodd Cari. 'Yn enwedig gan fod sôs coch 'da ni hefyd!' Cododd y ddwy gan ruthro i'r tŷ i nôl y rôls.

'Hmm, ma'r holl sôn am gŵn poeth a "Jac" wedi f'atgoffa i . . .' dechreuodd Cai wrth gnoi ei drydedd selsigen. 'Tybed a wna'th Llinos ddod â Jack bach gyda hi?'

'Wrth gwrs bod Jack 'da ni,' atebodd Bethan. 'Ma fe'n cysgu yn 'i genel bach yr ochr draw i'r porthdy.

Mae'n gysgodol braf yn fan 'ny. Ro'dd e wedi blino'n shwps, druan! Fuodd e'n fywiog iawn yn y car yr holl ffordd 'ma, ac ar ôl cyrraedd na'th e redeg rownd y lle'n ddi-stop! Dilynodd e gwningen i mewn i'w thwll yn y goedwig 'fyd, a phan ddaeth e mas, roedd golwg ofnadw arno!'

Edrychodd Jac a'r bechgyn ar ei gilydd mewn penbleth. Pwy ar y ddaear o'dd "Jack" a pham ei fod e'n cysgu mewn cenel?

Sylwodd Bethan ar yr olwg ryfedd ar wynebau'r bechgyn a chwarddodd yn uchel. 'Jack yw enw ci Llinos! Daeargi bach yw e – neu Jack Russell a bod yn fanwl gywir – a dyna pam ma hi'n ei alw e'n "Jack"!'

'Hei bois, chi'n meddwl y bydde Jack yn hoffi selsigen?' gofynnodd Cai yn sydyn.

'Wwww, ydw plîs!' atebodd Jac ar unwaith.

'O sori, Jac, nid siarad amdanat ti o'n i, ond am Jack y ci!'

Chwarddodd pawb yn afreolus a bu bron i Glyn dagu ar ei selsigen.

Ochneidiodd Jac yn uchel. 'O, grêt!' meddai'n wawdlyd. 'Felly bob tro y bydd rhywun yn galw "Jack" dros y penwthnos, dwi'n mynd i feddwl 'u bod nhw'n siarad â fi!'

Gyda hynny, daeth y merched yn ôl yn cario llond plât o roliau bara. Ymhen dim o dro roedd y selsig yn poeri'n braf uwchben y tân a chafodd y merched ail swper, gyda haenen drwchus o sôs coch yn gorchuddio'r cŵn poeth. Roedd hi'n nosi'n gyflym a rhannodd y criw ambell stori cyn mynd i'r gwely. Roedd Rhodri'n awyddus i wybod sut oedd y pedwar – Cai, Aron, Cari a Llinos – yn ffrindiau. Wedi'r cwbwl, roedden nhw'n byw mor bell oddi wrth ei gilydd.

'Wel, falle bydd hyn yn dy synnu di, Rhodri, ond ma Cai a finne'n efeilliaid,' meddai Aron. 'Dy'n ni ddim yn edrych yn debyg, ac wrth gwrs dwi'n llawer mwy clyfar na Cai!' Taflodd Cai ddarn bach o fara'n chwareus at ei frawd. 'Ond ma un peth 'da ni'n gyffredin – ma'r ddau ohonon ni'n gallu canu, ac felly pan aethon ni i ganu gyda Chôr Ieuenctid y Sir, ac yna ymlaen i'r Côr Ieuenctid Cenedlaethol, pwy oedd yn canu gyda ni ond Cari a Llinos!'

'Ac fe ddaethon ni'n gyment o ffrindie nes ein bod ni wedi penderfynu mynd i'r un brifysgol fis nesa,' ychwanegodd Llinos.

'Prifysgol? Pa un?' gofynnodd Rhodri.

'Caerdydd.'

'Be fyddwch chi'n astudio?'

'Modiwle gwahanol mewn Cymraeg, Hanes a Hanes Cymru,' meddai Llinos eto.

'A 'leni, am y tro cynta, byddwn ni'n cael astudio modiwl mewn archaeoleg,' torrodd Aron ar ei thraws. 'Dwi wrth 'y modd yn whilo am hen bethe! Sdim byd yn well 'da fi na chael trywel fach yn fy llaw i grafu'r ddaear yn ofalus a whilio am ryw hen bethe dibwys!'

'Wel, dibwys yw popeth ry'n ni wedi'i ddarganfod mor belled,' ychwanegodd Cai yn frysiog, 'ond dwi'n siŵr y down ni o hyd i rywbeth gwerthfawr cyn bo hir!'

'Ai dyna yw eich prif ddiddordeb chi 'te?' gofynnodd Glyn.

'Na! Syrffio yw ein prif ddiddordeb ni. Wedyn canu, wedyn archaeoleg!' atebodd Cai.

'Syrffio?' chwibanodd Glyn. 'Cŵl! Oes byrdde eich hunen gyda chi?'

'Oes, adre. Maen nhw'n ddiogel yn y garej ar hyn o bryd. Ond pan gawn ni gyfle byddwn ni'n 'u clymu nhw ar do'r campyr-fan a bant â ni! Sdim byd yn well na phenwthnos i ffwrdd yn cael ein cario ar donnau'r môr a gwersylla yn y campyr-fan.'

'Bydd raid i chi ddod gyda ni pan fyddwch chi'n hŷn, bois!' heriodd Aron nhw. 'Pan fyddwch chi'n ddigon hen i brynu a gyrru eich campyr-fan eich hunain!'

'Cŵl!' chwibanodd Glyn eto. 'Ond dim ond newydd berswadio Mam i brynu ffôn symudol i fi ydw i! Sdim gobeth y prynith hi *gampyrfan* i fi!'

'Wel, bydd raid i ti brynu un dy hunan 'te!' ychwanegodd Aron. 'Fe fuo Cai a finne'n cynilo am saith mlynedd i brynu hon. Ro'dd 'da ni rownd bapur yr un pan oedden ni'n ddeg oed, ac ers hynny ry'n ni wedi gweithio mewn amryw o siope yn y dre a helpu'n rhieni i olchi'r car neu i bilo tatws i swper – unrhyw beth, a gweud y gwir! Dros y blynyddoedd fe fuon ni'n cynilo bob ceiniog tan i ni, o'r diwedd, lwyddo i brynu'r biwti fach 'na!'

Edrychodd pawb ar y campyr-fan â'i lliwiau llachar yn sgleinio'n hardd yng ngolau fflamau'r tân.

Cyn hir, roedd y fflamau bron â diffodd, a phenderfynodd pawb ei throi hi am y nos. Edrychodd y bechgyn yn genfigennus ar y merched wrth iddyn nhw adael am foethusrwydd y porthdy. Roedden nhw hyd yn oed yn fwy cenfigennus o Cai ac Aron wrth i'r ddau ddringo i'r campyr-fan fach glyd, groesawgar. Safodd y pedwar arall yn stond yn ymyl lludw'r goelcerth gan syllu'n gysglyd ar y pebyll anghyffyrddus a'r ddaear laith. Jac oedd y cyntaf i symud.

'Reit 'te! Pwy sy am rannu 'da fi?' meddai'n sydyn.

'Man a man i fi neud, sbo!' atebodd Glyn, gan edrych ar y ddau arall yn eu tro.

'Druan â ti, Glyn boi!' meddai Jac wedyn. 'Achos am ryw reswm, dwi wedi dechrau chwyrnu'n ddiweddar, ac ma'r sŵn yn ddigon uchel i ddeffro'r meirw, yn ôl Mam a Dad!'

Tynnodd Glyn anadl hir cyn dilyn Jac i mewn i'r babell. Am eiliad fach, roedd e'n ysu am gael bod adre unwaith eto yn ei wely ei hun. Syniad dwl pwy oedd y busnes gwersylla 'ma?!

5

Toriad gwawr

Rhyw hanner awr o gwsg yn unig gafodd Glyn cyn iddi wawrio y bore wedyn. Trwy'r nos bu'n troi a throsi wrth i Jac berfformio cyngerdd swnllyd gyda'i chwyrnu di-baid! Bu raid i Glyn roi ergyd iddo sawl gwaith gyda'i benelin, ond rywsut neu'i gilydd y cyfan wnaeth hynny oedd annog Jac i chwyrnu'n uwch! A nawr, pan oedd e o'r diwedd wedi llwyddo i gydio mewn ychydig funudau o orffwys, dyma Jac yn ei ddeffro wrth agor sip y babell led y pen a chyhoeddi ei bod yn fore!

'Dere mla'n, Glyn boi! Cwyd, y pwdryn!' meddai Jac yn uchel gan estyn cic at goesau'i ffrind oedd wedi'u claddu y tu mewn i'w sach gysgu.

'Hmm?' atebodd Glyn gan geisio'i orau i agor ei lygaid er bod yr heulwen yn tywynnu'n braf a'r pelydrau'n ei ddallu trwy ddrws bach cul y babell. Gosododd ei ben o dan ei obennydd gan geisio ailafael yn ei gwsg, ond heb fawr o lwc.

'Hei Glyn! Ble ma'r stôf fach nwy 'na 'da ti? Dwi bron â llwgu! Wna i ddechre cwcan bacwn ac wy i ni nawr!'

Roedd brwdfrydedd Jac i'w ganmol, ond ychydig iawn o amynedd oedd gan Glyn o ystyried mai chwyrnu Jac a'i cadwodd rhag cysgu'r un winc drwy'r nos.

O'r diwedd, penderfynodd Glyn godi o'i sach gysgu a mynd allan o'r babell. Gwelodd Jac yn eistedd yn hamddenol ar gadair-glan-môr, ei lygaid ar gau wrth i'r haul gosi ei wyneb yn ysgafn. Aeth draw i ymuno ag ef.

'Bore braf!' meddai Jac gan agor un llygad i weld pwy oedd yno.

'Braf iawn!' atebodd Glyn. 'Ond fydd Deian ddim yn hapus iawn – bydd ei dad-cu'n siŵr o'i alw 'nôl i'r ffarm i helpu gyda'r gwair os arhosith y tywydd fel hyn!'

Gyda hynny clywodd y bechgyn sip pabell Deian a Rhodri'n agor a llais Deian yn cwyno'n uchel, 'O na!'

'Adre â ti, Deian boi!' meddai Jac gan chwerthin. 'Tywydd gwych i fod ar y gwair! Roedd y swyddfa dywydd yn anghywir, fel arfer!'

'Mae'n gynnar 'to!' atebodd Deian yn swta gan lusgo'i hun draw at y lleill ac eistedd yn y gadair yn ymyl Jac. 'Wel, mi gysges i fel darn o bren! Beth amdanoch chi, bois?'

'Y cwsg gore dwi 'di'i gael erio'd, dwi'n meddwl,' meddai Jac yn hamddenol.

'Hy! Ches i ddim winc, diolch i hwn!' cwynodd Glyn gan wthio'i benelin unwaith yn rhagor i ochr Jac.

'Ma Rhods yn dal i gysgu fel babi mewn fan'na ta beth. Dwi ddim yn credu 'i fod e 'di dod dros 'i jet-lag eto!' chwarddodd Deian yn uchel.

Gyda hynny, cododd Glyn ar ei draed yn sydyn. 'Ma angen tŷ bach arna i, bois! O's rhywun yn gwbod ble mae e?'

Ysgydwodd y bechgyn eu pennau'n araf. 'Mae un yn y porthdy, wrth gwrs, ond ma hwnnw'n siŵr o fod ar glo, a fydden i ddim yn mentro cnocio i ddihuno'r merched yr amser 'ma o'r bore! Ma angen eu *beauty sleep* arnyn nhw!'

Dechreuodd Glyn ddawnsio o un droed i'r llall. Roedd angen y tŷ bach arno! Glou!

'Wel, rhed mewn i'r coed, Glyn bach!' meddai Deian yn sydyn. 'Sneb yn mynd i dy weld di! Cer yn ddigon pell i mewn a fyddi di'n ddigon saff!'

Edrychodd Glyn ar y goedwig gyfagos a phenderfynu mai dyna oedd ei unig ddewis. Felly clymodd lasys ei dreinyrs yn gyflym cyn hercian yn lletchwith i ganol y coed o olwg y bechgyn. Prin ddeg eiliad wedi iddo ddiflannu, clywodd Jac a Deian leisiau merched yn cyrraedd y tu ôl iddyn nhw. Megan a Bethan oedd yno.

'Bore da, fechgyn! Gysgoch chi'n iawn?' holodd Bethan oedd wedi cael sioc o'u gweld nhw ar ddihun mor fore.

'Fel babis!' atebodd Jac yn falch. 'A ma dy sboner di'n dal i gysgu fel babi mewn yn y babell 'na! Edrych arno fe!'

Plygodd Bethan o flaen y babell a gweld Rhodri'n cysgu'n sownd wrth i boer ddiferu o'i geg ar ei obennydd. 'Druan ag e!' meddai'n dawel cyn troi at Megan a gofyn iddi fynd i nôl Jack o'i genel. Diflannodd Megan ar unwaith cyn dychwelyd funud yn ddiweddarach yn tynnu'r ci bach gerfydd ei goler. Chwyrnodd yn fygythiol wrth agosáu at y bechgyn dieithr yn ymyl y tân.

'Jack! Bydd dawel! Ffrindiau 'yn nhw. Sdim angen i ti chwyrnu arnyn nhw!' gorchmynnodd Bethan mewn llais blin. Daliai Jack i noethi'i ddannedd a chwyrnu, a bu raid i Megan ei ddal yn dynn iawn i'w rwystro rhag dianc a neidio ar un o'r bechgyn.

'Ble ma Glyn 'te?' gofynnodd Bethan wedyn. 'Ydy yntau'n dal i gysgu hefyd?'

'Ymm,' atebodd Jac yn araf. 'Ma fe 'di mynd am dro i'r goedwig i . . . ym . . . i ymestyn 'i goese!' Teimlai'n falch ei fod wedi llwyddo i arbed Glyn rhag unrhyw embaras!

'Ac roedd angen y tŷ bach arno!' ychwanegodd Deian yn sbeitlyd.

Edrychodd y merched ar ei gilydd a chwerthin. Yna'n sydyn, cafodd Megan syniad. Cydiodd yng ngholer Jack y daeargi a'i arwain draw at ymyl y goedwig.

'Hei Megs, be ti'n neud?' gofynnodd Bethan, er bod ganddi syniad go lew beth oedd ar fin digwydd!

Y peth nesaf welson nhw oedd Megan yn plygu i

siarad â Jack yn dawel yn ei glust gan bwyntio i gyfeiriad y coed. Yr eiliad nesaf, gollyngodd ei gafael ar goler y daeargi bach wrth i hwnnw ruthro mewn tymer ddrwg i ganol y goedwig!

Cododd y lleill ar eu traed yn syth i ddisgwyl ymateb. Doedd dim rhaid iddyn nhw aros yn hir! Yr eiliad nesaf dyma nhw'n clywed Glyn yn sgrechian nerth ei ben o ganol y goedwig, a dechreuodd Megan chwerthin yn uchel wrth droi a cherddded 'nôl at Bethan.

Edrychodd Bethan arni mewn panig. 'Be ti'n 'neud?' gofynnodd ar dop ei llais. 'Wneith e fwyta Glyn yn fyw!'

'Na wneith ddim!' atebodd Megan hi'n gyflym. 'Ma Jack yn swnio fel ci bach cas, ond dim ond sŵn yw e!'

Gyda hynny, gwelodd y criw Glyn yn rhedeg nerth ei draed allan o'r goedwig yn gwisgo un treinyr, gyda Jack yn ei ddilyn â'r treinyr arall yn ei geg! Doedd y ci ddim yn cyfarth erbyn hyn oherwydd y treinyr yn ei geg, ond roedd Glyn yn dal i sgrechian! Cyrhaeddodd ei babell gan ddeifio'n syth i mewn a chau'r sip cyn i Jack fedru'i ddilyn. Gollyngodd hwnnw ei dreinyr y tu fas i ddrws y babell a dechrau cyfarth unwaith eto. Roedd ei gynffon yn chwifio fel brigyn yn y gwynt.

'Hei, Glyn!' chwarddodd Bethan. 'Ma fe eisie whare 'da ti!'

Agorodd y sip yn araf bach a neidiodd Jack i mewn i lyfu wyneb Glyn yn chwareus! Cydiodd Glyn yn ei dreinyr yn gyflym gydag un llaw a cheisio gwthio Jack i ffwrdd â'r llall! Ond roedd Jack druan wedi dotio ar Glyn, a cheisiodd rwygo'r treinyr oddi arno unwaith eto gan feddwl mai chwarae oedd e.

'Cer o 'ma'r cythraul bach!' meddai Glyn rhwng ei ddannedd, gan annog y daeargi bach i ymladd yn galetach am y treinyr. Erbyn iddo lwyddo i'w osod yn ôl ar ei droed dde roedd hanner y treinyr ar goll!

'Reit, pwy sy'n mynd i brynu pâr newydd o dreinyrs i fi?' holodd Glyn wrth fynd i eistedd ar y gadair-glan-môr yn ymyl Jac. Rhedodd y daeargi bach draw ar unwaith i orwedd yn ymyl ei draed, gan ddechrau llyfu bodiau Glyn trwy'r hanner treinyr! 'Dewch mla'n!' mynnodd Glyn, gan ysgwyd ei droed dde i geisio cael gwared ar y ci. 'Pwy 'nath adael i'r mwlsyn hanner-call-a-dwl 'ma ymosod arna i yn y goedwig?'

'Dim ond bach o sbort oedd e!' protestiodd Megan ar unwaith. 'A ta beth, wna'th e ddim *ymosod* arnat ti – moyn whare oedd e, 'na'i gyd!'

'Wel, ma whare wedi troi'n chwerw, achos dyma'r unig bâr o dreinyrs sy 'da fi! Be dwi i fod i wisgo weddill y penwthnos?'

'Dwi'n siŵr y ffeindiwn ni rwbeth!' ymunodd Jac yn y sgwrs. 'Ma 'na bentwr o hen sgidie mewn bocs yn y campyr-fan – bydd rhwbeth yn siŵr o dy ffitio di, sdim dowt!'

'Wel, 'na ni 'te! Panig drosodd!' Cydiodd Megan yng ngholer Jack a'i lusgo o dan draed Glyn. 'Dere mla'n, Jack bach, i ti gael brecwast, neu fe fyddi di wedi chwalu gweddill y treinyr 'na'n rhacs! O ie, a Glyn, diolch am roi'r cwdyn te yn 'y ngwely i!'

Cerddodd y ddwy ferch oddi yno gyda Jack yn chwyrnu unwaith eto, a phlygodd Glyn i godi gweddill ei dreinyr. Ochneidiodd yn uchel wrth sylweddoli mai prin ddeuddeg awr roedden nhw wedi bod yn gwersylla ac roedd Megan wedi llwyddo i ddifetha'i unig bâr o dreinyrs yn barod! Dim ond oherwydd iddo roi bag te yn ei gwely hi. Ond gwneud hynny am iddi beidio â gwneud te iddo fe wnaeth e. Felly, ei bai hi oedd hynny yn y bôn! O! Pam oedd raid i Megan ddifetha popeth? Doedd dim modd dianc oddi wrthi!

Cododd yn frysiog ac aeth i nôl ei dywel a'i fag molchi o'r babell, cyn brasgamu'n ôl i gyfeiriad y goedwig.

'Hei, Glyn! Ble ti'n mynd?' galwodd Jac ar ei ôl.

'I molchi! Sylwes i ar nant fach yn rhedeg drw'r goedwig pan o'n i yno gynne fach. Man a man i fi brofi bywyd *gwersylla go iawn* tra mod i 'ma!'

'Aros amdana i!' gwaeddodd Jac cyn rhuthro i nôl ei fag molchi ei hun. Penderfynodd Deian ymuno â nhw hefyd. Wrth iddo ruthro i mewn i'r babell llwyddodd i ddeffro Rhodri, a chyn hir roedd yntau hefyd yn rhedeg ar ôl y bechgyn i mewn i berfeddion y goedwig gyda thywel dros ei ysgwydd.

Treuliodd y bechgyn yr hanner awr nesaf yn cicio a thaflu dŵr iasoer y nant dros ei gilydd. Y rhan anoddaf oedd golchi'u gwalltiau gan fod angen iddyn nhw roi'u pennau yn ddwfn o dan y dŵr i gael gwared ar yr holl siampŵ! Cyn bo hir, roedd y bechgyn yn crynu o'u corun i'w sawdl wrth redeg yn ôl tuag at y pebyll. Wrth iddynt ddod yn nes, daeth arogl mwg a bara'n llosgi i'w ffroenau, ac ar ôl cyrraedd dyma nhw'n gweld Cai ac Aron yn eistedd yn eu siorts yn coginio brecwast i bawb!

'Bore da, bois!' croesawodd Aron nhw.

'Chi lan yn gynnar!' ychwanegodd Cai, gan wenu'n llawen ar y pedwar. 'Dewch i eistedd wrth y tân er mwyn i'r fflame gynhesu'ch esgyrn chi, a'r tost dwymo'ch stumoge chi!'

Bwytaodd y pedwar yn awchus gan gymryd cwpanaid mawr o de yr un hefyd oddi wrth Megan a Bethan, a oedd wedi gadael Jack y daeargi bach yn y porthdy gyda Llinos. Derbyniodd Glyn gwpanaid o de hefyd y tro hwn, a hynny am mai Bethan oedd yn gyfrifol am ei wneud.

'Odi Cari a Llinos wedi codi 'to?' gofynnodd Cai wrth gydio mewn tafell arall o fara i'w thostio o flaen y tân.

'Ydyn, maen nhw wrthi'n cael cawod nawr. Ma nhw'n bwriadu gwisgo'u dillad Celtaidd yn syth, medden nhw.'

'Da iawn, da iawn!' meddai Cai. 'Bydd angen i ni

adael yn syth os ydyn ni am gyrraedd Castell Henllys mewn pryd. Arhoswch chi nes i chi weld ein gwisgoedd, ein gwalltie a'n colur ni! Fyddwch chi ddim yn ein nabod ni!'

6

Castell Henllys

Am hanner awr wedi saith yn union, gadawodd pedwar Celt go frawychus yn eu campyr-fan o Bentre Ifan. Roedden nhw'n gwisgo dillad gwlanog amryliw, sandalau mawr trwm a'r rheini'n fwd i gyd drostyn nhw, a cholur wedi'i beintio'n batrymau gwahanol dros eu hwynebau. Roedd y merched wedi plethu'u gwalltiau'n hardd, gyda chadwyn o flodau o amgylch eu pennau, a'r bechgyn wedi rhoi band mwdlyd o gwmpas eu talcen a gwneud i'w gwalltiau edrych yn flêr gan ddefnyddio mwd a dŵr i greu past ofnadwy! Roedd golwg ddychrynllyd ar y pedwar!

Cyn iddyn nhw ddringo i mewn i'r cerbyd, pwysleisiodd Cai ac Aron wrth y merched pa mor bwysig oedd hi iddyn nhw beidio â chyffwrdd â dim byd rhag trochi'r seddau! Rhoddwyd hen flancedi dros bob man rhag ofn y byddai hynny'n digwydd – er mai dim ond taith bum munud o Gastell Henllys oedden nhw. Fe allen nhw fod wedi cerdded yno ar lwybr trwy'r goedwig oni bai eu bod yn brin o amser ac felly eisiau cyrraedd cyn gynted â phosib.

Wrth iddyn nhw ddiflannu drwy giât y ganolfan, dychwelodd y saith oedd ar ôl (gan gynnwys Jack y daeargi bach) at y pebyll a gorffen eu trydydd paned o de y bore hwnnw. Roedd boliau pawb yn llawn dop o dost a jam a bacwn ac wy nes eu bod bron yn methu symud!

'Faint o'r gloch awn ni i Gastell Henllys 'te?' gofynnodd Deian wrth gydio yn y map roedd wedi'i adael iddyn nhw.

'Tua deg o'r gloch ro'n i wedi meddwl,' atebodd Bethan cyn gorffen ei disgled a gosod y cwpan ar hambwrdd pren. 'Bydd hynny'n rhoi dwyawr i ni cyn cinio, ac yna os arhoswn ni am ryw ddwyawr arall wedyn, allwn ni gyrraedd 'nôl i Bentre Ifan erbyn amser te.'

'Pawb yn cytuno?' gofynnodd Deian gan edrych yn fanylach ar y map. 'Yn ôl hwn, fe gymrith hi tua deg munud neu chwarter awr falle i gerdded trwy'r goedwig at Gastell Henllys. Mae'n edrych yn reit rhwydd i fi – mae'r llwybr wedi'i nodi'n ddigon clir.'

'Iawn, fe awn ni i molchi a gwisgo a gneud cinio i bawb yn barod i fynd gyda ni. Brechdane caws neu ham yn iawn 'da pawb? Grêt! Cliriwch chi fechgyn yr annibendod rownd y tân a'r pebyll, a dewch ag unrhyw sbwriel draw at y biniau yn ymyl y porthdy. Bydd angen rhoi popeth yn ddiogel y tu mewn i'ch pebyll 'fyd, oni bai fod 'da chi rwbeth gwerthfawr yr hoffech chi i ni ei gadw dan glo yn y porthdy.'

Ufuddhaodd pawb i lais awdurdodol Bethan, a oedd wedi cymryd yr awenau ac yn arwain y criw ifanc. Dilynodd Megan hi i'r tŷ a bu raid iddyn nhw lusgo Jack bach, druan, wrth i hwnnw fynnu aros gyda Glyn!

'Ma Jack yn dwlu arnat ti, Glyn boi!' chwarddodd y Jac arall wrth weld wyneb crac ei ffrind yn llygadu'r daeargi bach yn ffyrnig.

'Wel, dwi *ddim* yn dwlu arno fe!' atebodd Glyn gan deimlo bodiau'i draed â'i fysedd. 'A dwi *ddim* yn dwlu ar yr hen welingtons afiach 'na adawodd Cai ac Aron i fi chwaith! Dwi'n mynd i edrych fel ffŵl yn cerdded rownd Castell Henllys yn gwisgo welingtons a hithe'n dywydd mor braf!'

'Sôn am dywydd braf,' ychwanegodd Rhodri. 'Beth am dy dad-cu a'r gwair 'te, Deian?'

'Fel mae'n digwydd, ma batri'r ffôn wedi marw!' cyhoeddodd Deian yn falch. 'Felly all e ddim cysylltu â fi!'

'Gei di fenthyg fy ffôn i os wyt ti ishe, Dei,' cynigiodd Glyn gan estyn am ei ffôn o'i boced.

'Na, na! Dwi ddim yn bwriadu ffono. Allan nhw neud y tro hebdda i am sbel!'

'O, da iawn!' meddai Jac yn falch. 'Gei di aros am y penwthnos cyfan 'te!'

'Dyna'r bwriad,' meddai Deian gyda gwên. 'Dwi'n haeddu penwthnos bant ar ôl yr holl waith caled yn ystod y pythefnos dwetha.'

Cyn pen dim roedd hi'n chwarter i ddeg a'r criw ifanc wedi dod at ei gilydd wrth lwybr y goedwig yn barod i gerdded i Gastell Henllys. Roedd y map gan Deian o hyd, ond penderfynodd pawb mai Rhodri oedd yr un gorau i fod yn gyfrifol amdano gan mai fe oedd yr un mwyaf synhwyrol a'r un fyddai'n fwyaf tebygol o'u harwain ar y llwybr cywir drwy'r goedwig.

Ac roedden nhw'n iawn. Er i Deian *feddwl* mai gwaith hawdd fyddai dilyn y llwybr a nodwyd ar y map, mewn gwirionedd doedd dim un llinell ar lawr y goedwig yn dangos iddyn nhw pa ffordd i fynd, ac felly bu raid i Rhodri ddefnyddio tipyn ar ei sgiliau i arwain y gweddill i'r cyfeiriad cywir.

Mynnodd Jack redeg o'i flaen gan arogli pob modfedd o'r ddaear wrth fynd. Bob nawr ac yn y man byddai'n diflannu oddi ar y llwybr am rai eiliadau ar drywydd rhyw gwningen neu wiwer! Cerddodd y criw bach yn eu blaenau gan edmygu prydferthwch y goedwig hardd, gyda'i chymysgedd o goed bythwyrdd, deri ac ynn. Yna, tua hanner ffordd drwy'r goedwig, daethant at lannerch agored, heb goed ynddi o gwbl ar wahân i un sycamorwydden enfawr yng nghanol y llecyn. Gwelodd y criw fod yna lwybr arall yn arwain i'r dde, ond cadarnhaodd Rhodri mai glynu at y llwybr i'r ochr chwith y dylen nhw wneud os oedden nhw am gyrraedd Castell Henllys. Ac yn wir, ymhen rhyw bum munud arall, roedden nhw yno.

'Ble ma'r castell 'te?' holodd Glyn gan grafu'i ben.

'Paid â bod yn hurt, achan! Hen *fryngaer* Geltaidd yw hon – doedd dim *cestyll* i'w cael yn oes y Celtiaid, y ffŵl!' atebodd Deian ef yn swta.

'Wel, pam ei alw'n *Gastell* Henllys 'te os nad oes *castell* 'ma,' protestiodd Glyn mewn llais blin.

'Sai'n gwbod! Smo i'n hanesydd!'

'Peidiwch â dechre cwmpo mas, chi'ch dau!' meddai Rhodri'n ddiamynedd. 'Dewch mla'n wir, ma tipyn go lew o ymwelwyr i'w gweld 'ma, a digon o bethe i'w gwneud hefyd, weden i!'

Talodd pawb y tâl mynediad cyn cerdded at y fryngaer a sylwi ar holl brysurdeb y lle. Roedd yna Geltiaid yn dangos eu doniau i'r ymwelwyr ymhob man wrth i'r rheini, yn blant ac oedolion, ryfeddu at holl sgiliau gwahanol y bobl yma fu'n byw yn yr ardal dros ddwy fil o flynyddoedd yn ôl. Mewn un ardal roedd yna Geltiaid yn gofyn am help gan yr ymwelwyr i adeiladu tŷ crwn newydd. Roedd yna sawl tŷ crwn yno'n barod, ac edrychodd y plant ar hyn fel sialens y bydden nhw'n hoffi bod yn rhan ohoni! Cerddodd y chwech ohonyn nhw draw i holi ymhellach.

'Allwn ni helpu?' gofynnodd Rhodri i'r Celt mwya o'r pedwar, oedd yn arwain y gwaith.

'Cewch, siŵr! Sdim ofan gwaith caled arnoch chi, gobeithio?'

'Nag'oes glei!' atebodd Deian ar unwaith wrth gamu ymlaen a thorchi'i lewys.

'Da iawn, fachgen! Fe gei di arwain dy grŵp i adeiladu'r rhan yna o'r wal.' Pwyntiodd y Celt mawr at ddarn hir o byst a brigau wedi'u plethu'n gadarn, ac yna at fwced mawr yn llawn mwd afiach, gwlyb. 'Dwb sydd gyda ni yn y bwcedi. Taflwch dalpiau ohono at y wal er mwyn llenwi'r holl fylchau bach sydd rhwng y brigau i'w chryfhau. Dylai hynny eich cadw'n brysur am sbelen fach!'

'Dim problem!' atebodd Deian gan gydio yn y bwced a chodi llond dwrn o'r gymysgedd frown, afiach yn ei ddwylo. 'Rhods! Dere 'ma! Gei di rannu'r bwced 'ma 'da fi! Jac a Glyn, ma bwced arall i chi draw fan'na ac un arall i chithe, Bethan a Megan.'

'Iawn, Syr!' meddai Glyn yn sarcastig gan gydio yn y bwced.

Cyn hir roedd y chwech ohonyn nhw'n taflu'r dwb yn ddidrugaredd at y wal o frigau. Roedd Jack y ci wrth ei fodd yn rhedeg 'nôl a mlaen o blentyn i blentyn yn ceisio dal y dwb afiach wrth i hwnnw hedfan o ddwylo'r plant drwy'r awyr at y wal.

Wedi pum munud o daflu, digwyddodd rhywbeth anffodus iawn. Wrth ruthro i daflu'r dwb yn gynt na neb arall, llithrodd Glyn a thaflu llond dwrn ohono'n syth i wyneb Megan, oedd yn sefyll wrth ei ochr. Gollyngodd hithau'r bwced yn ei thymer gan besychu a phoeri'n galed wrth geisio cael gwared ar y dwb oedd wedi llwyddo i fynd i mewn i'w cheg.

'Ych! Ych! Ych!' sgrechiodd, cyn plygu i gydio yn y bwced unwaith eto a thaflu'r cynnwys yn syth at Glyn. Ond roedd hwnnw'n disgwyl amdani, ac felly llwyddodd i osgoi'r mwd trwy benlinio'n gyflym. Yn anffodus i Jac, gan mai ef oedd yn sefyll y drws nesaf iddo, cafodd y fraint o gael cynnwys bwced Megan drosto i gyd! Roedd golwg ddychrynllyd arno!

'Megan!' arthiodd yn flin. 'Be ti'n feddwl ti'n neud? Edrych ar yr olwg sy arna i!'

'Ma fe arna i 'fyd!' poerodd Megan yn ôl ato, gan godi'i llaw at ei thrwyn i arogli'r dwb afiach. 'Yyyy! Beth yw "dwb" 'ta beth? Mae e'n arogli fel y peth mwya afiach erioed!'

Edrychodd Rhodri arni'n bryderus. 'Ti wir ishe gwbod?'

'Ydw!' atebodd Megan yn syth.

'Wel, fel arfer, cymysgedd o flew ceffyl, dom da, gwaed mochyn, gwair a mwd yw e . . . ymhlith rhai pethe eraill!'

'Dom da!' sgrechiodd Megan.

'Gwaed moch!' gwaeddodd Jac.

Edrychodd y ddau ar ei gilydd â'u llygaid yn llydan agored fel soseri. 'Aaaaaaaaaaaaaaa!' sgrechiodd y ddau wrth geisio sychu'r dwb i ffwrdd yn wyllt â'u dwylo.

Chwarddodd Glyn yn uchel wrth wylio'r ddau'n

brwydro am y gorau i gael gwared ar bob smotyn o'r dwb brown, afiach. Yna teimlodd rywbeth yn glanio 'sblotsh' dros ei ben, a hylif oer yn rhedeg i lawr ei wddf. Trodd yn gyflym i weld pwy oedd wedi mentro taflu dyrnaid o ddwb i'w gyfeiriad, a dyna lle roedd y Celt mawr yn tyrru drosto.

'Ti'n meddwl bod hyn yn ddoniol, wyt ti?' gofynnodd gan wenu'n gam ar Glyn.

Llyncodd yntau boer yn uchel. 'Ahem, na, dim fel'ny!' atebodd yn gryg.

''Na ni 'te, beth am daflu'r dwb at y wal o hyn allan, ac nid at eich gilydd?'

Cerddodd y Celt mawr i ffwrdd. Sychodd Glyn ei war â llawes ei grys cyn ysgwyd ei ben yn galed i gael gwared â'r dwb oddi ar ei wallt. Gwenodd Deian a Rhodri arno.

'Ro't ti'n gofyn am hynna!' meddai Deian wrtho. 'Dewch mla'n, pum munud arall a byddwn ni wedi gorffen y rhan yma o'r wal. Gewn ni symud mla'n wedyn i weld beth arall sydd i'w neud 'ma.'

'Welais i arwydd ar y ffordd i mewn yn sôn am helfa drysor,' meddai Bethan yn sydyn. 'Beth amdani? Bechgyn yn erbyn merched?'

Megan oedd y cyntaf i gwyno. 'O gad hi nawr wir, Beth! Dwi ddim ishe cystadleuaeth! Ta beth, dim ond dwy 'yn ni, ac ma 'na bedwar bachgen.'

Nodiodd Bethan ei phen i gytuno. 'Beth am hyn 'te?' cynigiodd. 'Ti, fi a Rhodri yn erbyn Glyn, Jac a Deian?'

'Iawn!' atebodd Megan. 'Ar un amod. Bod Jack y ci yn ein tîm ni!'

7

Yr helfa drysor

Wedi iddyn nhw orffen helpu gydag adeiladu wal y tŷ crwn, cerddodd y criw o amgylch y gwahanol atynfeydd wrth aros i'r helfa drysor gychwyn. Buon nhw yng nghwmni Celtiaid yn pobi bara ceirch, yn plethu basgedi gwiail, yn gwrando ar straeon amrywiol wrth eistedd o amgylch coelcerth o dân y tu mewn i un o'r tai crwn, ac yn paratoi i ymladd drwy gael peintio patrymau lliwgar ar eu hwynebau i gynrychioli'r gwahanol dduwiau y byddai'r Celtiaid yn eu haddoli. Roedd hyd yn oed Jack y ci wedi cael ei addurno â phatrymau ar ei got wen. Cerddodd gyda'r lleill â'i ben yn uchel. Roedd e'n teimlo'n ddewr iawn, ac yn barod i frwydro!

Yn sydyn, clywodd y criw lais cyfarwydd yn galw arnyn nhw. 'Hei! Bois! Odych chi am neud yr helfa drysor 'ma neu be?'

Syllodd y plant yn syn ar y Celt. Oedd e'n eu nabod nhw? Daeth yn agosach atyn nhw cyn datgelu rhes o ddannedd gwynion.

'O! Ti Cai sy 'na!' meddai Jac o'r diwedd. 'Do'n i ddim yn dy nabod di yn y wisg 'na!'

'Mae'n cymryd amser i ddod yn gyfarwydd ag e!' atebodd Cai. 'Wel, beth amdani? Aron, Cari, Llinos a finne sydd yng ngofal yr helfa drysor, ac ry'n ni wedi creu un grêt! Wnewch chi *byth* ddod o hyd i bopeth!'

'Am beth fyddwn ni'n whilio 'te, Cai?' gofynnodd Rhodri wrth gofio am y gystadleuaeth. Byddai'n rhaid iddo fod ar ei orau i guro Glyn, Jac a Deian!

'Amrywiaeth o arteffacte oes y Celtied,' atebodd Cai gan roi clipfwrdd yr un i'r plant gyda map a rhes o gwestiynau arnyn nhw. 'Ma pawb yn cael rhaw fach yr un, ac mi fydd yn rhaid i chi geibio'r arteffacte o'r ddaear! Dy'ch chi ddim yn cael 'u cadw nhw, cofiwch! Bydda i'n casglu popeth 'nôl ar y diwedd! Dewch 'da fi draw at y lleill – mae 'na sawl un arall am gymryd rhan.'

Dilynodd y criw Cai draw tuag at brif fynedfa'r fryngaer. Roedd grwpiau o blant wedi ymgasglu yno'n barod ac wrthi'n derbyn clipfyrddau a rhawiau gan Aron. Roedd Cari a Llinos yn brysur yn dosbarthu pensiliau i bawb ac yn ateb unrhyw gwestiynau oedd gan y criwiau cynhyrfus. Roedd y wobr, sef treulio'r noson honno yn un o'r tai crwn, wedi denu nifer i gystadlu. Camodd Cai i ben boncyff er mwyn i bawb allu ei weld.

'Iawn, os ga i eich sylw chi i gyd os gwelwch yn dda? Diolch. Nawr 'te, mae'n ymddangos i fi mai mewn tîmau yr hoffai'r rhan fwya ohonoch chi gystadlu, nid yn unigol. Mae 'na reol felly: does dim hawl cael mwy na phedwar mewn tîm.'

Closiodd aelodau bob tîm yn nes at ei gilydd, ac er bod Glyn yn gwybod mai tri aelod oedd yn ei dîm yntau, aeth ati i gyfri pawb ta beth! Camodd Rhodri'n agosach at Bethan a Megan, ac fel petai Jack bach wedi deall y sgwrs yn gynharach, gadawodd draed Glyn ac ymuno â thîm y merched.

Bum munud yn ddiweddarach, roedd y tîmau'n rhuthro i bob cyfeiriad yn ceisio datrys y cliwiau clyfar roedd Cai a'r lleill wedi'u llunio ar eu cyfer. Roedden nhw wedi llwyddo i greu mapiau gwych hefyd, a'r rheini'n ymddangos fel petaen nhw wedi goroesi canrifoedd lu gan mor hynafol roedd y papur yn edrych. Wrth sefyll yn ymyl y tŷ crwn mwyaf, sylwodd Glyn ar Rhodri'n arwain y gweddill i lawr tua'r fynedfa. Roedd e'n edrych yn bles iawn â'i hunan ac yn annog y merched i'w ddilyn yn glou.

'Hei! Bois! Ma Rhodri wedi datrys un o'r cliwie. Beth am i ni'i ddilyn e?' cynigiodd Glyn.

Ond gwgu wnaeth Jac a Deian.

'Ti ddim yn cynnig ein bod ni'n twyllo, wyt ti Glyn?' gofynnodd Deian yn amheus.

'Dwi'n cynnig ein bod ni'n gneud popeth o fewn ein gallu er mwyn ennill y noson yn y tŷ crwn 'na heno!' atebodd yntau'n bendant. 'Ar y funud ma'r merched wedi dwyn Rhodri – yr unig un ohonon ni sydd ag unrhyw glem, felly sdim gobaith 'da ni eu curo nhw.'

Edrychodd y ddau arall ar ei gilydd am eiliad cyn nodio'u pennau i gytuno â Glyn. Doedd dim angen anogaeth bellach ar hwnnw. Dechreuodd gerdded nerth ei draed tua'r fynedfa cyn gweld Rhodri a'r merched yn diflannu y tu ôl i goeden enfawr ychydig lathenni i ffwrdd.

'Dewch! Awn ni ar 'u hole nhw! Fe gadwn ni bellter gweddol rhyngon ni, ac wedyn pan fyddwn ni wedi'u clywed nhw'n datrys y cliwie a'r mapie fe neidiwn ni o'u blaene nhw a cheibo'r trysor o'r ddaear!'

Nodiodd Jac a Deian eu pennau unwaith eto i gytuno â Glyn, ond rywsut doedden nhw ddim yn credu y bydden nhw'n gallu twyllo Rhodri a'r merched mor hawdd â hynny.

Wedi dwy funud o esgus crafu pennau ac esgus astudio'r map a'r cliwiau, llwyddodd y bechgyn i fynd yn ddigon agos at Megan a Bethan i'w clywed nhw'n trafod yn fywiog wrth ddatrys un o'r cliwiau. Yr eiliad nesaf roedden nhw'n gweiddi ar Rhodri a Jack y ci, oedd wedi crwydro ar hyd y llwybr i'r goedwig, i ddod 'nôl atyn nhw.

'Mae'n amlwg!' cyhoeddodd Megan yn fuddugoliaethus wrth i Rhodri gyrraedd o fewn clyw. 'Mae'r trydydd cliw yn dweud:

'Arafwch eich camau, agorwch eich llygaid,
wrth deithio yn ôl i Oes y Celtiaid.

‘Wel, os awn ni at y brif fynedfa ac edrych yn ofalus wrth i ni gamu ar hyd y llwybr i mewn i Gastell Henllys, falle bydd ’na drysor yno! Y Brif Fynedfa yw’r ateb!’

‘Ti’n siŵr?’ gofynnodd Bethan gan edrych ar Rhodri.

Cododd yntau ei ysgwyddau i ddangos ei fod yn fodlon rhoi cynnig arni. Wedi’r cyfan, doedden nhw heb ddatrys yr un cliw hyd yma!

Pan gyrhaeddodd y tri y brif fynedfa roedd Glyn, Jac a Deian yno eisoes. Roedd Jac yn ei gwrcwd yn ceibo’r ddaear yn chwyslyd â’i raw wrth i’r ddau arall gyfarth gorchmynion arno!

‘Dere mla’n, Jac achan!’ cwynodd Glyn yn ei glust. ‘Ma mwy o siâp ceibo ar Esyllt fy chwaer na ti!’

‘Ti’n edrych fel tase dwy law chwith ’da ti, achan!’ ychwanegodd Deian yn sbeitlyd.

Gollyngodd Jac ochenaid fuddugoliaethus wrth i’r rhaw daro yn erbyn rhywbeth caled. Taflodd y rhaw i’r naill ochr wrth dwrio â’i ddwylo i ganol y pridd, a dod o hyd i flwch yn cynnwys breichled hardd gyda phatrymau Celtaidd cymhleth arni. Tarodd Glyn a Deian ef ar ei gefn.

‘Go dda ti, Jac boi!’ meddai Glyn yn ddigon uchel i’r tri ymwelydd ei glywed yn glir.

‘Ew, fuest ti’n glou i ddatrys y cliw ’na, Jac!’ ychwanegodd Deian mewn llais yr un mor uchel.

'Chware teg i ti, ma tipyn o frêns tu mewn i'r hen ben hyll 'na s'da ti!' chwarddodd yn uchel.

Chwarddodd Jac hefyd; roedd yr olwg ar wyneb y merched yn bictiwr, a doedd Rhodri fawr gwell chwaith!

Gwnaeth Glyn sioe o edrych dros ei ysgwydd ac esgus sylwi ar Rhodri, Megan a Bethan am y tro cyntaf. 'O, helô!' meddai mewn llais syn. 'Rhy hwyr! Sori, bois! Ry'n ni wedi dod o hyd i gliw rhif tri yn barod. O'dd e'n eitha rhwydd, a gweud y gwir.'

'Ga i weld honna?' gofynnodd Megan gan gamu draw at Jac.

Rhoddodd Jac y freichled iddi, ac astudiodd Megan hi am rai eiliadau cyn plygu a gosod yr arteffact dan drwyn Jack y ci. Aroglodd yntau'r freichled yn gynhyrfus cyn cyfarth yn uchel a rasio trwy'r dyrfa at un o'r tai crwn. Yr eiliad nesaf roedd ei drwyn yn arogli'r ddaear, yna dechreuodd dwrio'r pridd meddal nerth ei draed gan ei daflu dros yr ymwelwyr a safai'n syn y tu ôl iddo. Trodd Glyn ei ben yn wyllt i gyfeiriad Megan.

'Hei!' arthiodd. 'Twyll yw hynna! Wnest ti adael i Jack arogli'r freichled yna fel ei fod e'n gallu arogli'r arteffactau eraill sydd wedi'u claddu o gwmpas y fryngaer 'ma!'

Lledodd gwên ar draws wyneb Megan. 'Nid twyll yw hynna, ond cyfrwystra!' dadleuodd Megan. 'Twyll yw rhai sy'n llechu yn ymyl cystadleuwyr eraill a gwrando ar ’u sgwrs nhw wrth iddyn nhw ddatrys y cliwie, ac yna rhedeg i ffwrdd nerth eu traed i geibo’r trysor o’u blaene nhw!’

Cochodd Glyn hyd at fôn ei glustiau. Roedd Megan yn gwybod y gwir, felly! Ond sut?

‘Ac os wyt ti’n trio dyfalu pam wnes i adael i chi nghlywed i’n datrys y cliw wrth y ddau yma,’ ychwanegodd Megan fel petai hi wedi darllen meddwl Glyn, ‘wel, ro’n i am i chi neud y gwaith caled o geibo’r ddaear a dod o hyd i’r trysor rhag i ni orfod baeddu’n dwylo. Y cyfan ro’n i eisie oedd un arteffact er mwyn i Jack ei arogli – fe fydd dod o hyd i’r gweddill yn hawdd nawr!’ Trodd Megan ei phen yn sydyn wrth glywed Jack yn cyfarth yn frwd o’r tŷ crwn. ‘Rhodri, Bethan, dewch!’ meddai wrth redeg draw at y daeargi bach. Chwifiai hwnnw’i gynffon yn hapus wrth ddal hen gleddyf rhydlyd a di-fin yn ei geg.

Cododd Rhodri ei ysgwyddau’n araf wrth gerdded heibio i’w ffrindiau. Gwgodd y tri’n ôl arno. Roedd Megan wedi cael y gorau arnyn nhw eto!

Wrth i Jac godi oddi ar ei liniau o ganol y pridd, roedd y Jack arall yn twrio mewn ardal arall o’r fryngaer.

‘Sdim gobeth caneri gan neb arall i ennill yr helfa ’ma!’ cwynodd Deian yn uchel. ‘Bydd y ci ’na’n dod o hyd i bopeth whap! Man a man i ni fynd draw i ishte a chael hoe fach tra bod Rhods, Megan a

Bethan yn rhedeg o gwmpas y lle fel dynion dwl ar ei ôl e. Fe fydd hynny'n rhoi cyfle i ni gynllunio ar gyfer heno.'

'Heno?' gofynnodd Jac gan godi'i aeliau. 'Be sy'n digwydd heno?'

Winciodd Deian ar Glyn a gwawriodd syniad ym mhen hwnnw hefyd. 'Heno!' meddai'n llawn cyffro. 'Dwyt ti ddim yn cofio pa wobr ma Rhodri a'r merched yn mynd i'w hennill yn yr helfa drysor?' gofynnodd i Jac wrth i hwnnw eistedd mewn penbleth.

'Ymm . . . noson mewn tŷ crwn, ife?' atebodd o'r diwedd.

'Wrth gwrs! A beth ti'n feddwl fyddwn *ni*'n neud tra bod y tri 'na'n mwynhau 'u hantur fan hyn?'

'Ymm . . . cysgu yn ein pebyll?' mentrodd Jac.

'O na, Jac bach!' atebodd Deian a Glyn gyda'i gilydd. 'Nage wir!'

8

Yr arteffact arall

'A'r enillwyr . . . gyda 95 o bwyntiau yw . . . Tîm Megs!'

Cymeradwyodd y gynulleidfa'n uchel – pawb ar wahân i gystadleuwyr eraill yr helfa drysor. Roedden nhw hefyd wedi sylwi ar y daeargi bach yn defnyddio'i drwyn i ddod o hyd i'r trysorau i gyd. Roedd y gair 'twyllwyr' yn dew o gwmpas y lle wrth i Megan dderbyn tystysgrif ar ran y tîm, ond anwybyddodd hi'r cyfan. Serch hynny, roedd golwg annifyr ar wynebau Bethan a Rhodri y tu ôl iddi. Fe wydden nhw'n iawn nad oedden nhw wedi ennill yr helfa'n deg, ond doedd dim pwynt ceisio rhesymu â Megan gan ei bod hi'n ferch mor benderfynol!

Camodd y tri i lawr oddi ar y boncyffion coed ac ymuno â'r lleill. Roedd yr wg ar wyneb Glyn wedi diflannu erbyn hyn.

'Dwi ddim yn siŵr ai dy longyfarch di, neu gydymdeimlo 'da ti ddylwn i neud, Rhods,' dechreuodd Glyn wrth sylwi ar yr olwg ofidus ar wyneb ei ffrind. 'Ti'n deall y bydd raid i ti dreulio noson *gyfan* mewn tŷ crwn 'da'r ddwy 'ma heno?'

Nodiodd Rhodri ei ben yn araf. Roedd e'n dal i deimlo'n llawn cyffro wrth feddwl am aros mewn tŷ crwn, ond byddai'n llawer gwell ganddo dreulio'r noson yno yng nghwmni'r bechgyn. Byddai Megan a Bethan yn siŵr o siarad am bethau merchetaidd, ac roedden nhw eisoes wedi cael gwybod nad oedd hawl gan Jack y daeargi bach i aros gyda nhw yn y tŷ crwn dros nos, felly doedd dim gobaith y gallai chwarae gyda hwnnw.

Gyda hynny, clywyd taran yn dod o berfedd Jac a chydiodd yn ei fol yn gyflym. 'Amser cinio, dwi'n meddwl!' meddai gan lygadu'r bag ar ysgwydd Deian. 'Beth am i ni fynd i wilo am ryw lecyn bach tawel i fwyta a gorweddian am hanner awr fach? Ma'r haul yn tywynnu'n braf ar hyn o bryd, ond dwi ddim yn hoffi golwg y cymyle 'co sy'n dod fewn o'r môr!'

Cododd y lleill eu pennau i wylio'r cymylau du yn chwythu i mewn yn araf o'r gorllewin. Deian yn unig oedd yn gwenu. 'Da iawn, da iawn!' meddai. 'Ga i lonydd 'to rhag gorfod mynd 'nôl at y gwair!'

Eisteddodd y chwech ar y glaswellt trwchus yng nghornel isaf y fryngaer, yn ddigon pell oddi wrth yr ymwelwyr eraill. Agorodd Deian ei fag, oedd yn llawn brechdanau, creision a bisgedi. Tynnodd sawl potel fawr o sudd oren a dŵr allan hefyd, a chyn hir doedd yna'r un gair i'w glywed wrth i'r criw wledda ar y picnic blasus. Wrth i friwsionyn olaf y bisgedi a diferyn olaf y sudd oren ddiflannu i lawr gyddfau'r plant, cerddodd saith o Geltiaid tuag atyn nhw. Adnabu'r plant bedwar ohonyn nhw'n syth, ond roedd y tri arall yn ddieithr – ar wahân i'r Celt mawr oedd wedi taflu dyrnaid o ddwb ar ben Glyn yn gynharach.

'Gawsoch chi ginio da?' gofynnodd Aron wedi i'r saith eistedd ar y glaswellt yn eu hymyl.

'Do, neis iawn wir!' atebodd Jac gan orwedd 'nôl yn fodlon, ei fol yn dynn.

'Dyma'r criw ro'n i'n sôn amdanyn nhw,' meddai Cai wrth gyflwyno'r plant i'r tri dieithryn. 'Jac fan hyn yw cefnder Aron a finne, a dyma'i ffrindie – Glyn, Deian a Rhodri. Ma Bethan yn gyfnither i Cari, a dyma'i ffrind hi, Megan.'

Plygodd y tri ymlaen i ysgwyd llaw â phawb yn eu tro. 'Lleu ydw i,' meddai'r Celt mawr tal, 'a dyma nghyd-weithwyr, Arianrhod a Bronwen.'

Gwenodd y ddwy'n gyfeillgar ar bawb.

'Odych chi'ch tri'n gweithio 'ma am y penwthnos hefyd?' holodd Rhodri'n gwrtais.

'Na, fan hyn ry'n ni'n gweitho bob dydd o'r flwyddyn!' atebodd Bronwen gan chwerthin. 'Wel, dwi'n gweud "gwaith" ond dyma yw ein ffordd ni o fyw, a gweud y gwir. Ry'n ni'n cysgu yn y tai crwn dros nos, yn bwyta'r bara y byddwn ni'n ei bobi bob dydd, ac yn gwerthu'r basgedi rydyn ni'n eu plethu. Dyma'n gwisg bob dydd hefyd – y clogynnau a'r ffrogiau sydd amdanon ni. Ry'n ni'n trio byw'n debyg iawn i fel roedd y Celtiaid go iawn yn byw dros ddwy fil o flynyddoedd yn ôl.'

Agorodd y lleill eu llygaid led y pen. Byw fel Celtiaid go iawn? Drwy'r amser?

Glyn oedd y cyntaf i fusnesu, fel arfer. 'Ond beth am fynd i'r sinema, neu siopa bwyd yn Tesco, neu ddarllen e-byst a syrffio'r we?'

Ysgydwodd Bronwen ei phen. 'Na, fyddwn ni ddim yn manteisio ar foethusrwydd o'r fath. Bwyd plaen, dim teledu nac unrhyw dechnoleg fodern o gwbwl. Bywyd syml iawn sy gyda ni.'

Yn sydyn, clywodd y plant sŵn dirgrynu tawel a rhyw dôn rhyfedd yn canu. Roedd y sŵn yn dod o drowsus gwlanog Lleu. Estynnodd i'w boced a thynnu ffôn symudol sgleiniog, newydd yr olwg allan ohoni. Neidiodd i'w draed gan amneidio ar y lleill i'w esgusodi.

'Math! Shwd wyt ti, boi? Eitha da, eitha da . . . clyw, gest ti'r neges? Hales i decst atat ti tua awr 'nôl, ie, hmm, hmm . . .' Cerddodd i ffwrdd yn araf ac allan o glyw'r gweddill.

Cododd Rhodri ei aeliau. Gwridodd Bronwen at ei chlustiau. 'Ym . . . wel . . . mae'r *rhan fwya* ohonon ni'n byw bywyd syml. Ma gan Lleu ei reolau ei hun!'

Cofiodd Glyn am ei ffôn symudol ei hun a thynnodd ef o'i boced. Sylwodd fod ganddo neges destun oddi wrth ei fam yn gofyn a oedd e'n cael amser da. Penderfynodd nad oedd brys i'w hateb. Edrychodd ar Lleu wrth i hwnnw barhau â'i sgwrs yn ymyl yr efail. Rhaid ei fod ymhell dros chwe troedfedd o daldra, ac yn gryf fel ceffyl. Tynnodd Glyn ei law drwy ei wallt a oedd erbyn hyn wedi hen sychu, ond gallai arogli'r dwb ynddo o hyd. Crynodd wrth feddwl y byddai'n rhaid iddo olchi ei wallt yn y nant oer unwaith eto. Baw ceffyl a gwaed moch, wir! Rhodri oedd yn tynnu'i goes e, siŵr o fod!

'Y'ch chi am aros 'ma drwy'r prynhawn, neu y'ch chi am fynd 'nôl i Bentre Ifan?' gofynnodd Aron wrth godi i ymestyn ei goesau. 'Mae'n rhaid i ni fynd 'nôl i ddiddanu'r ymwelwyr 'to. Fe fyddwn ni 'di gorffen erbyn tua phump o'r gloch ac yn ôl yn y ganolfan erbyn hanner awr wedi, yn siŵr i chi.'

Edrychodd y plant ar ei gilydd. 'Wnawn ni aros am sbel fach 'to, a mynd 'nôl i'r ganolfan tua amser te?' cynigiodd Bethan gan edrych ar y lleill.

Nodiodd pawb eu pennau'n gytûn.

'Iawn,' atebodd Aron. 'Joiwch weddill y prynhawn. Welwn ni chi 'nôl ym Mhentre Ifan.'

'Neis cwrdd â chi,' meddai Bronwen ac Arianrhod gyda'i gilydd gan wenu unwaith yn rhagor ar y plant wrth adael.

Rhoddodd Glyn bwt i fraich Jac. 'Am gelwydd!' meddai gan dwt-twtian ac ysgwyd ei ben ar y ddwy Geltes.

'Celwydd?' gofynnodd Bethan mewn penbleth.

'Ie, celwydd!' adleisiodd Glyn. 'Ddim yn gwylio teledu, na siopa mewn siope call, nac yn syrffio'r we o gwbwl! Ydw i'n edrych yn dwp neu rwbeth?'

'Ti wir ishe i ni ateb, Glyn?!' gofynnodd Megan mewn fflach.

Gwgodd Glyn arni.

'Dwi'n cytuno â ti, Glyn! Un act fawr oedd y cyfan, weden i, i neud iddyn nhw deimlo'n bwysig,' meddai Deian yn bendant. 'Sylwoch chi ar y ffôn 'na o'dd 'da Lleu? Dyw hwnnw ddim yn cyd-fynd â'r syniad o fyw yma am dri chant chwe deg pump o ddiwrnode'r flwyddyn, mi ddyweda i gymaint â hynny wrthoch chi!'

'Wnewn ni ofyn i Cai ac Aron yn nes mla'n. Gewn ni'r gwir ganddyn nhw,' awgrymodd Jac. Roedd ganddo feddwl mawr o'i gefndryd.

Treuliodd y criw weddill y prynhawn yn cymryd rhan yng ngweithgareddau amrywiol y dydd. Aeth y bechgyn yn ôl at yr adeiladu, gan gymryd mwy o bwyll y tro hwn wrth daflu'r dwb at y waliau, ac aeth y merched i wrando ar ragor o straeon yn un o'r tai crwn, ac i blethu gwiail i wneud basgedi. Roedd angen amynedd ar gyfer y dasg honno – rhywbeth nad oedd gan y bechgyn lawer ohono!

Cyn bo hir, roedd hi'n bedwar o'r gloch a phenderfynodd y ffrindiau adael y fryngaer am y dydd, gan addo dychwelyd y diwrnod canlynol i barhau â'r gweithgareddau. Roedden nhw wedi mwynhau eu hunain yn fawr. Wrth gwrs, byddai tri ohonyn nhw'n dychwelyd yn hwyrach y noson honno er mwyn cysgu yn y tŷ crwn, ond am y tro roedden nhw'n edrych ymlaen at gael gorffwys ychydig yn ôl yn y ganolfan. Chwifiodd y plant eu dwylo ar Llinos a Cari wrth adael. Roedd y ddwy'n brysur yn llunio mapiau a chliwiau newydd ar gyfer helfa drysor y diwrnod canlynol.

'Dy'ch chi ddim yn cael defnyddio Jack ar gyfer yr helfa drysor fory, mae hynny'n bendant,' meddai Glyn yn benderfynol wrth i'r criw ddilyn y llwybr drwy'r goedwig. 'Ar wahân i'r freichled y daethon ni o hyd iddi, chi ffeindiodd bob un o'r trysorau eraill!'

Chwifiodd y daeargi bach ei gynffon yn hapus. Edrychai fel petai'n deall bob gair roedd Glyn yn ei ddweud! Yr eiliad nesaf, diflannodd yn ddwfn i mewn i'r goedwig ar drywydd cwningen, gan chwyrnu a noethi'i ddannedd yn grac. Cerddodd y plant yn eu blaenau heb gymryd fawr o sylw ohono ond pan ddaeth yn ei ôl ymhen munud neu ddwy, doedd dim modd peidio â sylwi arno.

'Hei Rhods, beth sy 'da Jack yn 'i geg?' gofynnodd Bethan wrth weld y ci bach yn brasgamu tuag atyn nhw'n cario rhywbeth trwm yr olwg rhwng ei ddannedd.

Plygodd Rhodri i geisio tynnu'r gwrthrych o'i geg, ond rhedeg i ffwrdd wnaeth Jack gan gredu mai chwarae oedd ar feddwl Rhodri! Ar ôl ei gwrso ar hyd y llwybr, llwyddodd Glyn i'w ddal o'r diwedd a thynnodd dlws hardd, a hen iawn yr olwg, o'i geg. Troellodd y tlws rhwng ei fysedd am rai eiliadau gan ryfeddu at ba mor hen yr edrychai, cyn ei ddangos i'r gweddill.

'Hei! Gad i fi weld hwnna,' meddai Rhodri'n gynhyrfus wrth weld y gwrthrych yn cael ei basio o un i'r llall. Ar ôl astudio'r tlws am ychydig, lledodd gwên dros ei wyneb. 'Chi'n gwbod beth yw hwn?' gofynnodd wrth edrych o un i'r llall.

Ysgydwodd pawb eu pennau yn eu tro. 'Un o eitemau'r helfa drysor na lwyddon ni i ddod o hyd iddo?' cynigiodd Megan.

'Na, nid arteffact Celtaidd yw hwn, ond un Rhufeinig!'

Edrychodd y lleill ar y tlws yn llaw Rhodri gan geisio dyfalu sut ar y ddaear roedd e'n gwybod hynny. 'Dewch draw i'r nant fach i'w olchi. Dwi'n credu mai tlws ar siâp anifail yw e.'

Cerddodd pawb draw at y nant fechan a lifai'n araf rhwng y coed tal yn ymyl y llwybr. Wedi rhai eiliadau o olchi gofalus dan y dŵr, cododd Rhodri'r tlws yn uchel er mwyn i bawb ei weld.

Jac oedd yr un cyntaf i sylwi. 'Ci yw e!' gwaeddodd yn llawn cyffro.

Nodiodd Rhodri ei ben cyn rhoi'r tlws yn nwylo Jac. 'Ti'n iawn, tlws o gi sy'n dyddio 'nôl bron i ddwy fil o flynyddo'dd, weden i. Roedd y Rhufeinied yn crwydro'r ardal yma tua dwy ganrif wedi Crist, ac yn ystod y cyfnod hwnnw, fe fuon nhw'n cynhyrchu nifer o dlyse tebyg i hwn. Tlws o gi yw hwn, ond roedden nhw'n gneud rhai ar ffurf cwningod hefyd, a hwyaid a dolffiniaid. Pob math o anifail, a gweud y gwir.'

'Shwt wyt ti'n gwbod hyn i gyd, Rhods?' gofynnodd Glyn mewn penbleth.

Agorodd Rhodri ei geg i ateb, ond dechreuodd Bethan siarad cyn iddo gael cyfle. 'Meddyliwch ble ma Rhodri newydd fod!' meddai'n awgrymog.

Edrychodd y lleill ar ei gilydd gan ysgwyd eu pennau'n araf. 'Ar 'i wylie,' mentrodd Bethan eto.

'*Ble* fuodd Rhodri ar 'i wylie?'

'Rhufain!' meddai Glyn yn sydyn wrth gofio pa mor ddiflas y teimlai ar y pryd am fod ei ffrind mor bell i ffwrdd.

'Yn union,' meddai Bethan. 'A phwy o'dd yn arfer byw yn Rhufain? Wel y Rhufeinied, wrth gwrs!'

'Felly, ti'n gwbod llawer am bethe Rhufeinig, wyt ti Rhods?' gofynnodd Jac gan barhau i astudio'r tlws yn ei law.

'Na, fydden i ddim yn gweud mod i'n gwbod llawer am arteffacte Rhufeinig, ond fe fues i mewn sawl amgueddfa tra o'n i yno ac ma'r rhain yn edrych yn gyfarwydd iawn. Dwi'n cofio mynd i amgueddfa yn Llunden hefyd a gweld pethe tebyg.'

‘Ydyn nhw’n werthfawr?’ gofynnodd Jac yn sydyn gan afael yn dynnach yn y tlws, fel pe bai e’n berchen arno!

‘Mae’n dibynnu shwt gyflwr sy arnyn nhw. Os ydyn nhw wedi cadw’n dda, allan nhw fod yn werthfawr, ond dyw’r pridd yng Nghymru ddim yn addas iawn i ddiogelu ansawdd arteffacte.’

‘Ti’n meddwl bod rhagor o bethe tebyg yn yr ardal ’ma ’te? Neu, a bod yn fwy manwl, yn y goedwig ’ma?’ gofynnodd Megan gan edrych i’r cyfeiriad lle bu Jack y ci rai munudau ynghynt.

‘Posib iawn. Ma pobol yn dod o hyd i arian y Rhufeiniaid yn aml iawn. Hen geinioge efydd ac arian fel rheol, ond fel wedes i gynne mae eu gwerth yn dibynnu ar ’u cyflwr nhw.’

‘Ma cyflwr eitha da ar hwn, ta beth,’ meddai Bethan a oedd erbyn hyn wedi derbyn y tlws gan Jac ac yn astudio pen y ci’n ofalus.

‘Dewch! Ewn ni ’nôl i gael gwell golwg arno dros baned o de. Dwi bron â llwgu!’ cyhoeddodd Rhodri cyn arwain y ffordd unwaith yn rhagor drwy’r goedwig unig.

‘Syniad da!’ cytunodd Glyn. ‘Fe alla i dynnu’r welingtons afiach ’ma oddi ar ’y nhraed i wedyn – ma nhw’n pinsio’n ofnadw.’

‘Trueni na fydde Jack yn dod o hyd i bâr o dreinyrs newydd i ti yn lle’r hen arteffacte Rhufeinig!’ chwarddodd Deian yn uchel.

‘Dwi ddim yn credu y daw e o hyd i ddim byd arall heddi,’ cyhoeddodd Megan yn bendant. ‘Ma golwg go flinedig arno fe erbyn hyn! Druan, dyw e heb orffwys dim drwy’r dydd!’

Rhedodd y ci bach yn ei flaen â’i drwyn yn synhwyro’r ddaear o’i flaen. Efallai na fyddai’n dod o hyd i ddim byd arall heddiw, ond tybed beth fyddai gan y nos i’w gynnig iddo?

9

Y fryngaer gyda'r hwyr

Cyfarthodd Jack yn uchel wrth glywed y campyr-fan yn gyrru drwy gatiau'r ganolfan rai munudau cyn chwech o'r gloch y prynhawn hwnnw. Ers cyrraedd 'nôl, bu'n pendwmpian y tu mewn i'r babell ar sach gysgu Glyn! Ond wrth glywed cerbyd yn agosáu, deffrodd ar unwaith er mwyn rhybuddio'r cwmni bod yna ddieithriaid o gwmpas! Camodd y pedwar Celt allan ohono'n flinedig iawn yr olwg. Llusgodd y ddwy ferch eu hunain yn gysglyd i gyfeiriad adeilad y ganolfan heb ddweud yr un gair wrth y chwech a eisteddai yn ymyl y pebyll yn yfed te. Cerddodd Aron a Cai draw atyn nhw i ddweud helô sydyn, cyn dychwelyd i'r campyr-fan i newid a gorffwys am ychydig.

Roedd y criw ffrindiau wedi treulio'r awr gyntaf ar ôl dod 'nôl o Gastell Henllys yn yfed un mygaid ar ôl y llall o de melys ac yn bwyta'u ffordd drwy becyn cyfan o fisgedi siocled. Roedden nhw hefyd wedi astudio'r tlws yn fanwl iawn, ond heb chwyddwydr roedd hi'n anodd gwerthfawrogi'r cerfiadau oedd wedi treulio dros y canrifoedd. Roedd hi wedi saith o'r gloch, a boliau pawb yn barod am swper, pan ddaeth Cai ac Aron allan o'r campyr-fan yn gwisgo'u dillad arferol yn hytrach na'u gwisg Geltaidd, gan edrych lawer yn well wedi awr fach o gwsg.

'O'dd angen hynna arna i, bois bach, credwch chi fi!' ebychodd Aron. 'Gwaith blinedig yw'r busnes acto 'ma, yn enwedig mas yn yr awyr agored ar ddiwrnod fel heddi.'

'Y rhan anodda,' ychwanegodd Cai, 'yw gwisgo'r holl ddillad garw 'na! Ma'r sgidie'n ofnadw o anghysurus, yn enwedig pan fyddan nhw wedi'u llenwi â mwd. Maen nhw'n gallu teimlo mor drwm.'

Wrth i Cai siarad, sylwodd Aron ar rywbeth yn llaw Megan. Agorodd ei lygaid led y pen. 'Be sy 'da ti'n fan'na, Megan?' holodd yn sydyn gan gamu draw tuag ati. Daliodd hithau'r tlws i fyny yn yr awyr a chraffodd Aron arno'n llawn edmygedd.

'Waw!' meddai. 'Anrheg gan bwy o'dd hwn?'

'Nid fi sy berchen e,' atebodd Megan yn siomedig. 'Jack ddaeth o hyd iddo yn y goedwig yn gynharach.'

Daeth y daeargi draw at Aron ac eistedd yn ei ymyl, yn amlwg yn falch iawn o fod wedi darganfod rhywbeth oedd yn denu cymaint o sylw'r plant.

Treuliodd Aron rai eiliadau'n byseddu'r tlws cyn ei roi i Cai. Dangosodd hwnnw yr un faint o frwdfrydedd â'i frawd.

'Ma Jack wedi dod o hyd i rwbeth hen ofnadw, weden i,' meddai Cai'n bendant. 'Dwi erio'd wedi gweld rhwbeth tebyg i hwn o'r bla'n, y tu fas i amgueddfa.'

'Ma Cai a finne wedi treulio orie mewn amgueddfeydd yn dysgu am arteffacte hynafol, ac wedi treulio hyd yn oed mwy o orie mewn caeau gyda thrywel yr un yn crafu'r ddaear yn chwilio am hen eiteme Rhufeinig. Ond dy'n ni erio'd wedi dod o hyd i dlws fel hwn – tipyn o beth, chi'n gwbod,' ychwanegodd Aron.

Chwyddodd brest y daeargi bach hyd yn oed yn fwy. Gallai synhwyro ei fod yn cael ei ganmol i'r cymylau!

'Wel, fi sy'n 'i wisgo fe heno, ta beth!' cyhoeddodd Megan yn benderfynol gan gydio'n y tlws o law Cai a'i osod yn ofalus ar frest ei siaced. 'Gan mod i'n mynd i fod yn cysgu mewn tŷ crwn yng nghanol y Celtiaid, mae'n addas mod i'n gwisgo tlws o'r cyfnod.'

'Beth amdana i 'te?' gofynnodd Bethan yn siomedig. 'Dw *i*'n aros mewn tŷ crwn heno hefyd!'

'Mi gei di 'i wisgo fory,' atebodd Megan.

'Well i chi ddechre paratoi i fynd,' meddai Aron gan edrych ar ei oriawr yn sydyn. 'Fyddan nhw'n eich disgwyl chi i swper.'

'Be? Ni'n cael swper 'da nhw?' gofynnodd Rhodri'n gyffro i gyd. Roedd hi'n amlwg fod y syniad yn apelio'n fawr ato. Dychmygodd y bydden nhw'n eistedd o amgylch coelcerth fawr o dân yn rhostio cig anifeiliaid gwyllt a ddaliwyd gan helwyr yn ystod y dydd, ac yn bwyta llysiau ffres wedi'u tyfu'n agos at y fryngaer, a'r rheini'n llawn mwynau a fitaminau iach.

'Odych! Wedodd Lleu y bydde fe'n mynd i siop y pentre i nôl pysgod a sglodion i bawb fel trît,' atebodd Cai.

Wel, am siom! meddyliodd Rhodri.

'Dewch mla'n 'te,' meddai Bethan yn uchel gan godi ar ei thraed. Roedd hi wedi bod yn brysur yn trefnu pawb drwy'r dydd, ac edrychai'n debyg mai hi fyddai'n trefnu amserlen heno hefyd! 'Man a man i ni gerdded i Gastell Henllys – mae'r awyr yn glir, a does dim sôn am law!'

'Ie, awn ni drwy'r goedwig 'to. Mae'n daith braf – a bydd Jack bach wrth 'i fodd!'

'Chewch chi ddim mynd â Jack 'da chi,' meddai Deian gan gydio yng ngholer y ci bach wrth i hwnnw neidio ar ei draed o glywed fod yna wac ar y gweill.

Roedd Megan ar fin protestio, ond ysgydwodd Rhodri ei ben arni'n bendant. 'Fe wedon nhw'n ddigon clir heddi na fydde hawl 'da ni i fynd â Jack heno.'

'Wel, dewch mla'n 'te, neu fe fydd hi 'di tywyllu erbyn i ni gyrra'dd!' siarsiodd Bethan, gan wgu ar Megan a Rhodri.

'Well i chi fynd, glou,' cytunodd Glyn dan wenu, 'neu bydd eich *fish-a-chips* chi 'di oeri!'

Gwgodd Rhodri arno cyn troi ei gefn a cherdded gyda'r merched i gyfeiriad y goedwig. Roedd y tri wedi gwisgo'n gynnes ar gyfer y noson o'u blaenau. Roedden nhw wedi cael siars i beidio â dod ag unrhyw foethau cartref gyda nhw, gan y bydden nhw'n cysgu yn eu dillad dan garthen drwchus ar wely o bridd. Crychu'u trwynau wnaeth y merched wrth glywed hynny ond roedd Rhodri wrth ei fodd. Roedd e eisiau profi pob agwedd o fywyd y Celtiaid yn ystod ei arhosiad.

Pan gyrhaeddodd y tri y fryngaer hanner awr yn ddiweddarach, roedd pobman yn dawel fel y bedd. Roedd cynnwrf a phrysurdeb y prynhawn wedi hen ddiflannu, a'r ymwelwyr wedi gadael am eu cartrefi ar ôl treulio diwrnod prysur a blinedig yng nghwmni'r Celtiaid. Roedd y Celtiaid eu hunain yn flinedig hefyd – yn enwedig Lleu, Arianrhod a Bronwen, y tri oedd yn byw ar y safle bob dydd o'r flwyddyn.

'A! Dyma nhw! Croeso i Gastell-Henllys-Gyda'r-Nos,' cyhoeddodd Bronwen yn uchel wrth gamu allan o un o'r tai crwn ac Arianrhod yn dynn wrth ei sodlau. Gwenodd y tri ymwelydd ar y ddwy, ond heb ddweud yr un gair. Roedd swildod sydyn wedi cydio yn y plant, a hynny am eu bod yn teimlo braidd yn nerfus ynghylch y noson oedd o'u blaenau. Doedden nhw heb ddychmygu y byddai'r lle mor dawel ac unig gyda'r hwyr, ac roedd y cysgodion tywyll o amgylch y tai crwn yn anfon ias annisgwyl i lawr cefnau'r merched.

'Odi Lleu 'ma?' gofynnodd Megan yn sydyn, gan feddwl y byddai presenoldeb Celt mawr cyhyrog yn gwneud iddi deimlo'n fwy diogel.

'Bydd Lleu yn ei ôl unrhyw funud, fydden i'n dychmygu,' atebodd Arianrhod gan wenu. 'Tro Lleu yw hi i goginio, chi'n gweld, ac fel arfer fe fydd e'n mynd lawr i'r pentre i nôl sglodion neu fyrgyr neu rywbeth! Un diog yw e!'

'Ond dy'n ni ddim yn cwyno, wrth gwrs,' ychwanegodd Bronwen wrth fynd i eistedd ar fainc fach isel gyferbyn â mynedfa'r tŷ crwn. 'O leia mae hynny'n rhoi syniad i ni o sut mae pobl heddi'n byw – y math o fwydydd maen nhw'n fwyta, cael blasu gwahanol ddanteithion ac ati.'

'Un o'm hoff bethau i,' sibrydodd Arianrhod yn dawel, fel petai'n datgelu cyfrinach fawr, 'yw crwydro'r fryngaer yn ystod amser cinio a gwylio'r ymwelwyr yn bwyta'u tocyn. Bydda i bob amser yn rhyfeddu gymaint o ddanteithion bach gwahanol sydd wedi'u lapio mewn papur neu becynnau lliwgar, llachar, yn siocledi neu'n fisgedi di-ri – mae'n anhygoel!'

'Ac rydyn ni wastad yn rhyfeddu hefyd at yr holl wastraff mae'r bwydydd yma'n eu cynhyrchu – mae'r biniau sbwriel yn orlawn ar ddiwedd pob diwrnod, yn llawn pecynnau creision gwag a chaniau diodydd ac ati,' meddai Bronwen gan ysgwyd ei phen yn siomedig.

'AAAAAaaaaaaaaa!' sgrechiodd llais dieithr o gyfeiriad mynedfa'r fryngaer. Neidiodd y tri phlentyn mewn ofn. Chwarddodd Arianrhod yn uchel wrth sylwi ar y braw yn eu llygaid.

'Sdim angen i chi boeni!' siarsiodd Bronwen yn garedig. 'Lleu sy 'na, yn ymddwyn fel ffŵl unwaith 'to. Pan fyddai'r Celtiaid yn rhyfela, ac yn ymosod ar dylwyth arall, bydden nhw'n sgrechian yn uchel er mwyn ceisio codi ofn ar 'u gwrthwynebwyr. Byddai'r sgrechfeydd fel arfer yn 'u dychryn nhw gymaint, bydden nhw'n rhedeg i ffwrdd ac yn ildio'r frwydr.'

Daeth Lleu i'r golwg â gwên enfawr ar ei wyneb. Gallai ddychmygu'r ofn roedd e wedi'i roi i'r tri ymwelydd ifanc. 'Chi'n hoffi halen a finegr, gobeithio,' cyhoeddodd gan ddal dau fag plastig enfawr yn yr awyr, 'achos roddes i lond dwrn o halen a llond bwced o finegr dros y sglodion 'ma!' Daliai i wenu wrth fynd ati i dynnu'r cartonau cardfwrdd allan o'r bagiau plastig a rhoi un bob un i'r criw bach.

'Beth am i ni fynd i eistedd tu mewn i'r tŷ crwn 'ma i fwyta?' awgrymodd Bethan yn dawel. Doedd hi ddim yn or-hoff o'r fryngaer wrth iddi nosi. Roedd rhywbeth bygythiol iawn yn ei chylch.

'Syniad da!' cytunodd Bronwen. 'Ewn ni i eistedd

o amgylch y tân i fwyta, ac yna falle y gallwn ni rannu stori, fel byddai'r hen Geltiaid yn neud.'

Aeth y chwech i mewn i'r tŷ crwn yn cario'u bwyd yn ofalus, cyn eistedd o amgylch y tân oedd yn llosgi'n braf yn y canol a'i fwg yn diflannu drwy simdde fach ar frig y to. Aroglai'r lle o hen danau a fu'n llosgi yno ers canrifoedd; roedd y waliau wedi hen felynu, a felly hefyd y ffrâm bren oedd yn ymestyn yn sgerbydaidd o'r ddaear gan ddal y gwellt yn gadarn yn ei le uwch eu pennau. Bwytaodd y plant eu pysgod a'r sglodion yn awchus, gan ddiolch i Lleu am brynu swper iddyn nhw.

'Nid dyma'r math o beth y bydda i'n ei goginio o ddydd i ddydd, cofiwch,' meddai Lleu yn ddifrifol. 'Hela yn y goedwig fydda i fel arfer – a dal cwningen neu ddwy i ni fedru gwledda arni. Ond gan fod heddiw mor brysur, ro'n i wedi blino gormod i hela felly roedd hi'n haws mynd i nôl y rhain.'

Taflodd y plant gipolwg sydyn i gyfeiriad Bronwen, a winciodd hithau'n ôl arnyn nhw. Roedd hi'n amlwg fod Lleu yn hoffi dweud celwyddau bach er mwyn gwneud iddo ymddangos fel Celt go iawn!

A dweud y gwir, ar wahân i'w wisg, roedd hi'n anodd meddwl am unrhyw beth a wnâi i Lleu ymddangos fel Celt. Syllodd Rhodri'n ddrwgdybus arno. Roedd Rhodri'n hoff iawn o hanes, ac roedd e'n ysu am gael gwybod mwy am hanes Lleu.

10

Cysgu mewn tŷ crwn

Gorffennodd y cwmni eu swper blasus, yna tynnodd Lleu chwe photyn bach allan o'r bag, gan rannu llwyau bach plastig rhwng pawb hefyd.

'Wwww, treiffl!' gwaeddodd Arianrhod yn falch, 'dwi'n dwlu ar dreiffl!'

Pwniodd Bronwen hi'n galed yn ei hochr ac agor ei llygaid yn fawr arni. Roedd Arianrhod yn amlwg wedi dweud rhywbeth o'i le.

Sylwodd Rhodri ar hyn. 'Fyddwch chi'n cael pwdinau bach neis fel hyn yn aml?' gofynnodd yn ysgafn, gan gadw llygad barcud ar Arianrhod.

'Ooo, naaaa!' atebodd hithau, gan lwyddo i guddio'i lletchwithdod. 'Dwi'n cofio ymwelydd yn bwyta treiffl i ginio yma unwaith, a finnau'n meddwl mor flasus o'dd e'n edrych.'

Roedd Bronwen yn fodlon ag ateb ei ffrind ac agorodd ei threiffl hithau gan lowcio'r cyfan mewn chwinciad. Taflodd ei sbwriel i gyd i mewn i'r tân cyn cyhoeddi mai Arianrhod ddylai fod yn gyfrifol am y stori heno.

'Dim byd rhy frawychus heno, cofia – ma 'da ni ymwelwyr ifanc,' siarsiodd Bronwen hi.

'Ond ma straeon Arianrhod bob amser yn rhai brawychus!' chwarddodd Lleu wrth grafu gwaelod potyn ei dreiffl er mwyn casglu pob mymryn o'r jeli coch ar ei lwy.

'Wna i ngorau glas i beidio heno,' meddai Arianrhod yn bendant. Cododd o'i lle gan amneidio ar y gweddill i glosio at ei gilydd. Safodd hithau ar ei thraed o'u blaenau gan dynnu anadl hir ac edrych tua'r nenfwd tra bod y lleill yn eistedd yn dawel. Yr unig sŵn oedd clecian cyson y tân wrth iddo boeri ei fflamau'n uchel gan greu cysgod mawr tywyll y tu ôl i Arianrhod. Roedd hi'n amlwg yn cymryd ei hamser wrth feddwl pa stori i'w hadrodd.

Yna, yn gwbl ddirybudd, daeth sgrech uchel, hir o'i genau a bu bron i Megan a Bethan neidio allan o'u crwyn! Roedd Rhodri, ar y llaw arall, wedi bod yn gwylio Arianrhod yn ofalus ac yn hanner disgwyl iddi wneud rhywbeth annisgwyl. Rhai rhyfedd iawn oedd y Celtiaid yma, meddyliodd, ac roedd wedi dysgu un peth yn bendant erbyn hyn – sef eu bod nhw'n hoff iawn o sgrechian! Wedi rhai eiliadau daeth y sgrechian i ben, a newidiodd Arianrhod ei llais i fod yn dawel a dirgel. 'Dwi am rannu stori wir gyda chi. Dwi am ailadrodd hanes noson fwyaf erchyll 'y mywyd,' meddai. 'Rhywbeth ddigwyddodd i Bronwen a finne cyn i Lleu ddod i fyw aton ni.'

Gwrandawodd y plant ar bob gair gyda chwilfrydedd. Stori am ysbrydion oedd hi, hen ysbrydion Celtaidd oedd wedi ymweld â'r fryngaer rai blynyddoedd ynghynt. Eglurodd Arianrhod ei bod hi a Bronwen wedi mynd i'w gwelyau un noson, ac wrth iddyn nhw fynd i gysgu dyma nhw'n clywed sgrech erchyll yn dod o'r tu allan. Manteisiodd Arianrhod ar y cyfle i sgrechian yn uchel unwaith eto, a gwneud i'r merched neidio eto fyth cyn iddi fynd ymlaen â'i stori. Eglurodd mai gweld brwydr fawr yn digwydd yng nghanol y fryngaer wnaeth y ddwy, ar ôl mynd allan o'r tŷ crwn i weld beth oedd achos y sgrechian. Hen frwydr waedlyd rhwng ysbrydion y Celtiaid ac ysbrydion y Rhufeiniaid oedd yn digwydd, meddai. Roedd y Rhufeiniaid wedi penderfynu ymosod ar y fryngaer yng nghanol nos er mwyn codi ofn ar y Celtiaid a'u dal yn ddirybudd yn eu gwelyau. Ac wrth gwrs, roedden nhw wedi llwyddo.

Pan ofynnodd Rhodri iddi sut oedden nhw'n gwybod mai ysbrydion ac nid rhyfelwyr go iawn oedd yno, disgrifiodd Arianrhod yr olygfa fel un ysbrydol tu hwnt, gyda'r ffigurau rhyfelgar i gyd yn tywynnu'n dryloyw ac yn diflannu'n gyfan gwbl unwaith y bydden nhw'n cael eu lladd. Wrth iddi ddod i ddiwedd ei stori, gostyngodd Arianrhod ei llais yn is fyth, gan blygu ymlaen yn agos at wynebau'r tri ifanc a eisteddai o'i blaen. 'Ond y peth mwyaf rhyfedd a mwyaf erchyll oedd diwedd y frwydr, pan oedd ond un Celt ar ôl – y prif Gelt, ar ei liniau gyda degau o Rufeiniaid yn ei amgylchynu. Roedd e'n flin ofnadwy ac yn mynnu atebion gan y Rhufeiniaid. Atebion megis sut oedden nhw wedi llwyddo i ddod o hyd iddyn nhw mor hwyr y nos, ac ers pryd roedden nhw wedi bod yn cynllwynio i gipio'r fryngaer?

Chwerthin yn gras oedd ymateb y Rhufeiniaid i hyn, wrth i'r Prif Rufeinwr ateb eu bod nhw wedi bod yn eu gwylio ers amser hir o'u cysgodfan gudd gerllaw. 'Pa mor agos?' gofynnodd y Celt eto, ond chwerthin yn gras oedd ymateb y Prif Rufeinwr i hyn unwaith yn rhagor. 'Yn agosach nag wyt ti'n meddwl,' meddai a rhoi gorchymyn i'r gweddill ladd y Celt cyn noswylio am y noson yn nhai crwn y Celtiaid marw. A'r hyn a ddywedodd nesaf, cyn i'w ysbryd ef ac ysbrydion y Rhufeiniaid eraill i gyd anweddu'n araf i'r nos, oedd: 'Bydd hi'n braf cael cysgu â'n traed ar y ddaear heno, gyfeillion.'

Tawelodd Arianrhod, a cherdded yn ôl tuag at y tân i deimlo gwres y fflamau unwaith eto ar ei hwyneb oer.

'O'dd honna'n stori wir?' gofynnodd Bethan mewn syndod wrth Bronwen, oedd yn eistedd wrth ei hymyl.

'Bob gair,' atebodd hithau, gan grynu'n anesmwyth fel petai wedi ail-fyw'r noson yn glir iawn yn ei dychymyg. 'Fel wedodd Arianrhod, ro'n i yno gyda hi. Fe glywais i'r sgrech oeraidd yna mor glir ag y clywsoch chi sgrech Lleu yn gynharach. Ond fe ddweda i un peth wrthoch chi, dyna'r frwydr fwya erchyll a weles i erio'd – er mai ysbrydion oedden nhw. Dwi wedi bod yn gorwedd ar ddihun yn 'y ngwely ar sawl achlysur yn poeni y daw'r ysbrydion yn eu hole i ail-fyw'r noson honno unwaith yn rhagor.'

Agorodd llygaid Rhodri'n fawr. Gweddïodd y byddai hynny'n digwydd heno, fel y gallai wylio'r cyfan – gwylio hanes go iawn yn digwydd o flaen ei lygaid, fel troi'r cloc yn ei ôl. Agorodd Megan a Bethan eu llygaid yn fawr, gan ddyheu am gael bod 'nôl yng nghanolfan Pentre Ifan, yn ddiogel dan ddwfe clyd a'r drysau wedi'u cloi rhag unrhyw ysbrydion hen Geltiaid a Rhufeiniaid blin!

'Reit, amser gwely!' cyhoeddodd Lleu yn uchel, fel petai'n medru darllen meddyliau'r merched. 'Fe ddangosa i ble mae eich tŷ crwn chi, a thai crwn y merched a minne.'

'Be? Dy'n ni ddim yn rhannu 'da chi?' holodd Megan mewn panig.

'Ro'n ni'n meddwl y bydden ni i gyd yn rhannu'r un tŷ crwn . . . gyda'n gilydd!' meddai Bethan, gan adleisio panig Megan.

'O, na!' chwarddodd Lleu. 'Ma digon o dai 'ma ar gyfer pawb. Fe gewch chi'ch tri rannu'r un gore.

Mae'n foethus iawn, gyda gwelyau cyfforddus a phob cysur. Dewch i chi gael gweld!'

Dilynodd y criw ifanc Lleu allan o'r tŷ crwn a chynhesrwydd y tân agored i awyr y nos, a oedd yn oer ac yn llaith heb na lleuad na sêr i oleuo'r ffordd o'u blaenau. Wrth lwc, roedd ffrâm corff mawr Lleu i'w weld yn ddigon clir wrth iddyn nhw ei ddilyn i'w tŷ crwn nhw, rhwng dau dŷ crwn arall ym mhen pella'r fryngaer.

'Fan hyn y byddwch chi'n cysgu,' cyhoeddodd, gan ddal ei fraich mas i ddangos mynedfa'r tŷ iddyn nhw. 'A chi'n gweld y tŷ crwn agosa 'ma? 'Na ble mae Arianrhod a Bronwen yn cysgu, a dw inne yn yr un ar y chwith. Sdim angen i chi boeni – fe fyddwch chi'n ddigon saff fan hyn.'

Edrychodd Megan o'i chwmpas gan ddifaru'n syth ei bod hi wedi twyllo yn yr helfa drysor. Pam yn y byd oedd hi eisiau ennill noson mewn tŷ crwn beth bynnag? Yn ystod y dydd, roedd y fryngaer yn lle byrlymus, diogel, llawn hwyl, ond gyda'r nos roedd yn gwbl wahanol. Gallai glywed cri pob anifail bach yn y perthi cyfagos, ac aeth ias drwyddi wrth ddychmygu un ohonyn nhw'n crwydro i mewn i'w tŷ crwn hwy a cherdded dros ei gwely ganol nos! Penderfynodd y byddai'n lapio'i hun yn dynn, dynn o dan garthen y gwely.

'Ferched, beth am i chi gymryd y ddau wely yr ochr yma i'r tŷ crwn? Fe gei dithe, Rhodri, gysgu yn y gwely yr ochr draw – o leia bydd ychydig o breifatrwydd 'da chi wedyn.'

Cytunodd y tri, er y teimlai Rhodri y byddai wedi hoffi ychydig o gwmni yn y lle dieithr hwn.

'Gair i gall,' meddai Lleu eto. 'Cadwch eich dillad amdanoch o dan y carthenni, a'ch sanau'n enwedig! Mae'n gallu mynd yn oer iawn ganol nos.'

Diolchodd y tri iddo am ei gyngor ac am eu harwain yn ddiogel i'r tŷ crwn. Aethon nhw'n syth i'w gwelyau ond, cyn bo hir, roedden nhw'n cwyno bod y carthenni gwlân yn crafu'u croen ac yn gwneud iddyn nhw gosi'n ofnadwy.

'Chi'n meddwl bod stori Arianrhod heno'n wir?' holodd Bethan ymhen ychydig. 'A beth y'ch chi'n feddwl o'dd ystyr yr hyn wedodd y prif Rufeiniwr ar y diwedd ynglŷn â chysgu â'u traed ar y ddaear?'

Ochneidiodd Megan yn ddiamynedd. 'O'dd raid i ti f'atgoffa i o stori Arianrhod?' meddai'n grac. 'Shwt alla i gysgu tra bod golygfeydd o ryfela gwaedlyd yn troi a throsi yn 'y mhen i . . . ac yn wa'th na hynny, golygfeydd o ryfela *ysbrydol* gwaedlyd?'

'Gadewch i ni drio cysgu! Sdim pwynt codi braw arnon ni'n hunen. Roedd stori Arianrhod yn ddigon gwir, weden i, ond digwyddodd y cwbwl flynyddoedd yn ôl, a do's dim byd tebyg wedi digwydd 'ma ers hynny. Felly ry'n ni'n siŵr o fod yn ddigon diogel 'ma heno.'

'Cytuno!' meddai Megan yn bendant. 'Nawr, Bethan, cer i gysgu! Bydd popeth yn iawn yn y bore, gei di weld. Bydd yr adar bach yn canu, yr haul yn gynnes ar ein wynebau unwaith 'to, a'r hen gysgodion rhyfedd wedi hen ddiflannu. Ti'n gwrando?'

Ond atebodd Bethan ddim. Roedd hi'n gwrando, oedd. Ond nid ar Megan. Roedd hi'n siŵr ei bod hi wedi clywed rhywbeth y tu allan i'r tŷ crwn. Sŵn sibrwd cynhyrfus a distaw, a sŵn y glaswellt yn cael ei sathru'n ofalus, fel petai rhywun neu rywrai'n cerdded ar flaen eu traed. Fel ysbrydion Rhufeinig yn barod i ymosod ar y fryngaer, efallai . . .

Yn sydyn, daeth sgrech fyddarol i chwalu'r tawelwch.

11

Cysgodion y goedwig

Saethodd ias oer i lawr cefn Megan, a dechreuodd Bethan grio. Rhewodd Rhodri yn ei unfan. Er iddo ddychmygu'n gynharach y byddai wrth ei fodd yn cael bod yn dyst i frwydr Geltaidd mewn hen fryngaer hanesyddol, roedd y gwirionedd yn llawer iawn mwy erchyll. Cydiodd yn dynn yn y carthenni wrth i'r sgrech barhau am eiliadau hir, hir. Caeodd ei lygaid wrth ddisgwyl clywed yr ymosodiad cyntaf, a gweddïodd y byddai'r cyfan ar ben cyn hir. Gallai glywed Bethan yn sniffian ym mhen pellaf y stafell, a theimlai drueni drosti – dros y tri ohonyn nhw, mewn gwirionedd. Nid dyma sut oedden nhw wedi dychmygu eu noson mewn tŷ crwn! O'r diwedd daeth y sgrech i ben a chlywodd y tri lais Lleu'n gweiddi'n flin y tu allan.

'Beth ar wyneb y ddaear 'ych chi'n meddwl chi'n neud 'ma?! Mae'n ganol nos!' gwaeddodd â'i lais yn llenwi'r tywyllwch. 'Dewch mla'n, atebwch fi, NAWR!'

Clywodd Rhodri a'r merched lais Glyn, ond roedd cymaint o ofn arno, roedd e'n ei chael hi'n anodd iawn dod o hyd i eiriau.

'Glyn!' meddai Megan yn uchel. 'Ddylen i fod wedi dyfalu y bydde 'da *fe* rwbeth i neud â hyn! Dere mla'n, Bethan, gad dy lefen – sdim un ysbryd yn agos i'r lle 'ma!'

Safodd Rhodri, Megan a Bethan yn nrws y tŷ crwn a gweld Glyn yn cael ei ddal gerfydd ei goler gan Lleu, gyda'i fflachlamp ei hun yn cael ei defnyddio i oleuo'i wyneb fel lleuad lawn yng nghanol yr awyr.

'O! *Ti* 'to!' meddai Lleu yn uchel. 'Yr un sy'n meddwl bod taflu dwb i wynebe pobol yn ddoniol!'

'Camgymeriad o'dd hynny . . .' dechreuodd Glyn cyn i Lleu roi ysgydwad sydyn arall iddo gerfydd ei goler.

'A chamgymeriad yw hyn 'to, sdim dowt!' meddai Lleu yn wawdlyd. 'Camgymeriad dy fod ti'n digwydd cerdded heibio i Gastell Henllys ganol nos, ac yn penderfynu sgrechian nerth dy ben y tu allan i dŷ crwn dy ffrindie?'

'Dim ond bach o sbort o'dd e, 'na'i gyd!' mynnodd Glyn, ond roedd Lleu'n gandryll. 'Ta beth, syniad Deian o'dd e!'

'Deian? Pwy yw hwnnw?' cyfarthodd Lleu, gan edrych o'i gwmpas yn wyllt.

Yr eiliad honno, daeth cysgod bachgen i'r golwg o'r gwrych cyfagos. 'O diolch, Glyn!' meddai Deian yn flin. 'Ti'n ffrind da!' ychwanegodd yn wawdlyd. 'Ro'n i wedi gobeithio cadw mas o drwbwl, ond diolch i ti, do'dd dim gobaith!'

'Ma Jac 'ma 'fyd,' ychwanegodd Glyn, gan obeithio y byddai hynny'n lliniaru rhywfaint ar dymer Lleu. Ymddangosodd Jac o'r cysgodion yn araf, gan ddal Jack y ci yn dynn gerfydd ei dennyn.

'Wel, wel, wel,' meddai Lleu gan ollwng ei afael ar goler Glyn, 'cael parti, odych chi?'

Edrychodd yn ddrwgdybus ar y tri, a'u dallu wrth fflachio golau fflachlamp Glyn o un wyneb i'r llall. 'Chi'n sylweddoli faint o ofn godoch chi ar Arianrhod a Bronwen, heb sôn am y tri 'ma?' gofynnodd wrth fflachio'r golau i gyfeiriad Rhodri, Megan a Bethan.

Yna, yn sydyn, daliodd rhywbeth ei lygaid. Yng ngolau'r fflachlamp, gwelodd adlewyrchiad o dlws hardd Megan yn glir. Pwyntiodd y golau'n syth ato gan gerdded yn agosach at Megan. Agorodd ei lygaid led y pen wrth sylwi ar gerfiadau hyfryd y gemwaith, ac anghofiodd y cyfan am y tri bachgen a'r ci yr oedd ar ganol eu ceryddu.

'Ble gest ti hwn?' gofynnodd yn freuddwydiol, heb dynnu'i lygaid oddi ar y gwrthrych.

Teimlai Megan yn anesmwyth, a thynnodd y tlws yn rhydd a'i roi yn llaw Lleu er mwyn iddo fedru'i astudio heb sgleinio golau'r fflachlamp yn ei hwyneb.

'Dylai hwn fod yn ddiogel mewn amgueddfa,' meddai Lleu gan edrych ar Megan unwaith eto. 'O ble gest ti fe? Wedi'i ddwyn e wyt ti?' holodd yn fygythiol.

Erbyn hyn, roedd Arianrhod a Bronwen wedi ymuno â'r criw gan ddisgwyl yn eiddgar am ateb Megan.

'Nage wir!' atebodd Megan ar unwaith. 'Dod o hyd i'r tlws yn y goedwig wnaethon ni. Ma Cai ac Aron yn bwriadu ei ddangos i arbenigwr pan awn nhw adre, rhag ofn bod 'na ragor o bethe yn yr un lle.'

Daeth golwg ofidus i lygaid Lleu am eiliad, ond yna gwenodd a rhoi'r tlws yn ôl i Megan.

'Syniad da!' meddai, cyn troi ei sylw 'nôl at yr ymwelwyr annisgwyl. 'Reit 'te! Chi'ch tri . . . ym . . . pedwar,' meddai gan edrych i lawr ar Jack, 'heglwch hi o 'ma. 'Nôl i'ch gwelyau, glou! Dwi ddim eisie'ch gweld chi 'ma tan wedi naw o'r gloch bore fory, chi'n deall?'

Nodiodd y tri eu pennau wrth ufuddhau i orchymyn Lleu. Roedd hyd yn oed Jack yn nodio'i ben fymryn bach. Doedd e ddim yn or-hoff o'r dyn mawr cas yma, ei lais dwfn a'i ddillad rhyfedd!

'Nos da!' meddai Glyn yn dawel gan droi ar ei sawdl. Roedd ei gynllun i ddychryn y lleill wedi hanner gweithio, er nad cystal ag oedd e wedi'i ddychmygu. Roedd penlinio y tu allan i'r tŷ crwn yn gynharach a chlywed stori Arianrhod wedi rhoi sylfaen gadarn iawn i'w dric i godi ofn ar Rhodri a'r merched, ond doedd e heb feddwl am eiliad y byddai Lleu'n difetha popeth fel hyn. Doedd e ddim yn hoffi

Lleu o gwbl! Yn gyntaf, dyna'r holl drafferth gyda'r dwb, a nawr hyn! Roedd gan Lleu rhywbeth yn ei erbyn, roedd yn sicr o hynny.

Gwyliodd Rhodri ei dri ffrind yn gadael Castell Henllys yn benisel gyda'u ci bach yn eu dilyn, ei gynffon yn chwifio 'nôl ac ymlaen yn fodlon. O leiaf roedd Jack fel petai'n mwynhau ei hun, meddyliodd.

'Wedes i y bydde sgrechen yn syniad gwael!' hisiodd Deian ar Glyn wrth iddyn nhw adael.

Drwy lwc, roedd Lleu wedi rhoi'r fflachlamp yn ôl i Glyn ar gyfer y daith i Bentre Ifan, felly roedd y llwybr cul yn olau i gyd o'u blaenau.

'Do'n i ddim i wbod y bydde Lleu ar ein penne ni fel'na!' atebodd Glyn yn amddiffynnol. 'O leia lwyddes i i godi ofn arnyn nhw! Sylwoch chi ar y ffordd roedden nhw i gyd yn crynu'n 'u sgidie pan ddaethon nhw at y drws?!' Chwarddodd wrth gofio'r olwg ar wynebau Rhodri, Megan a Bethan.

'Yr unig beth wnes *i* sylwi arno o'dd dy wyneb ofnus di, Glyn, pan gydiodd Lleu ynot ti!' meddai Deian gan dawelu chwerthin Glyn yn syth.

'Ro'n i'n hanner disgwyl i ti lenwi dy drowsus, gymaint o'dd yr ofn ar dy wyneb di!'

Gwgodd Glyn yn ffyrnig ar Deian gan fflachio'r golau'n syth i'w wyneb. 'O, gwed ti!' meddai'n fygythiol. 'Hy! Doedd dim golwg dda iawn arnat tithe chwaith pan ddest di mas o'r cysgodion 'na!'

'Golwg grac o'dd arna i – crac am dy fod ti wedi sôn am Jac a finne! Ro'dd y ddou ohonon ni'n ddigon saff o'r golwg – ond na, ro'dd yn rhaid i ti'n tynnu ni mewn i drwbwl 'fyd on'd o'dd e?!'

'Byddwch yn dawel, chi'ch dou!' meddai Jac yn sydyn. 'Sdim sôn am Jack bach yn unman. Dwi'n credu 'i fod e 'di diflannu 'to.'

Fflachiodd Glyn y golau o amgylch ei goesau gan ddisgwyl gweld y ci bach bywiog yn cerdded yn ufudd wrth ei ymyl. Ond doedd dim sôn amdano. Dechreuodd sibrwd ei enw, ac yna gweiddi'n dawel, ond yn ofer. Doedd dim sôn am Jack bach yn unman!

'Hei bois, ni'n agos iawn at y fan lle roedden ni'r prynhawn 'ma pan ddiflannodd e. Chi'n meddwl 'i fod e wedi dod o hyd i dwll cwningod neu rwbeth?' awgrymodd Deian.

'Digon posib,' atebodd Glyn. 'Dilyn cwningen neu ryw greadur arall mae e, yn bendant. Beth am i ni gerdded yn araf a gweiddi'i enw? Dwi'n siŵr y daw e i'r golwg cyn bo hir.'

Ond er chwilio a chwalu am hydoedd, doedd dim golwg o'r daeargi bach yn unman.

'Fan hyn oedden ni'r prynhawn 'ma,' meddai Glyn yn sydyn. 'Fe dda'th e drw'r bwlch 'na fan'na.' Pwyntiodd y golau tuag at fwlch yn y gwrych a chofiodd y ddau arall mai dyma'r fan lle diflannodd Jack yn gynharach yn y dydd.

‘Dewch! Bydd raid i ni fynd i whilo amdano fe,’ meddai Jac yn ddewr. ‘Allwn ni ddim mynd ’nôl hebddo fe, yn enwedig ar ôl addo i Cari a Llinos y bydden ni’n cymryd pob gofal ohono fe.’

Yn ffodus iawn i’r bechgyn, ni fu raid iddyn nhw fentro’n rhy bell oddi ar y llwybr i ganol y goedwig. Wedi rhyw hanner canllath o grafu’u coesau yn y brwyn a tharo’u pennau yn erbyn canghennau’r coed, daethon nhw o hyd i’r ci bach yn gorwedd ar ei fol yn chwyrnu’n gas ar goeden dderwen fawr o’i flaen. Galwodd y bechgyn arno, ond anwybyddodd Jack nhw’n llwyr. Roedd e’n amlwg wedi’i gythruddo gan rywbeth neu’i gilydd, a chododd hynny gryn dipyn o ofn ar y bechgyn.

‘Chi’n meddwl bod rhywun ’na?’ gofynnodd Deian yn bryderus. Roedd e wedi gostwng ei lais rhag ofn bod rhywun neu rywrai gerllaw yn eu gwylio. Gwnaeth y syniad iddo deimlo’n anesmwyth iawn. Yn sydyn, dyma Jack yn rhoi’r gorau i chwyrnu ac yn dechrau ysgwyd ei gynffon unwaith eto. Trodd i wynebu’r bechgyn cyn rhedeg atyn nhw a dangos bod ganddo rywbeth yn ei geg. Y tro hwn, roedd y gwrthrych yn rhy drwm iddo fedru ei gario’n rhwydd iawn, ac felly gollyngodd ef wrth draed Glyn ac edrych i fyny arno’n fuddugoliaethus. Plygodd Glyn i godi’r hyn oedd yn edrych yn debyg iawn i goler ci, a chafodd ei synnu pa mor drwm oedd e.

'Rhaid bod hwn yn perthyn i ryw gi arall neu rywbeth,' meddai'n bwyllog.

Edrychodd y ddau arall ar y gwrthrych gyda diddordeb. Cydiodd Jac yn y coler cyn ebychu mewn syndod, 'Wel rhaid 'i fod e'n gi cryf dros ben 'te i fedru cario rhwbeth mor drwm o amgylch ei wddf bob dydd!'

'Dwi ddim yn credu mai coler ci yw hwnna,' cynigiodd Deian, yn llawn synnwyr cyffredin. 'I ddechre, mae wedi'i neud o haearn. Dwi erio'd wedi gweld coler ci wedi'i neud o haearn o'r bla'n! Lledr, falle, ond dim haearn. Mae'n rhy drwm. Synnwn i ddim mai arteffact Rhufeinig arall yw hwn. Trueni nad yw Rhodri 'da ni i weud beth yw e.'

'Allwn ni fynd i'w nôl e!' cynigiodd Glyn yn sydyn, cyn cofio am y bregeth a gafodd gan Lleu. Newidiodd ei feddwl yn gyflym. 'Ar y llaw arall, falle'i bod hi'n well i ni fynd ag e 'nôl gyda ni i'r pebyll, a gofyn i Rhodri pan welwn ni e fory.'

'Syniad da,' cytunodd Jac, a oedd erbyn hyn wedi cael hen ddigon ar grwydro coedwig yn llawn cysgodion ganol nos. Rhoddodd yr arteffact newydd i Glyn. 'Dewch, os cerddwn ni'n gyflym, fyddwn ni 'nôl ymhen deng munud. Dwi'n ysu i gael cyrra'dd 'y ngwely. Mae heddi wedi bod yn ddiwrnod hir.'

Dilynodd y criw olau fflachlamp Glyn yn ôl i gyfeiriad y llwybr cyn ei throi hi tua'r Ganolfan, a Jack yn dilyn yn ufudd wrth eu sodlau. Ddaeth yr un gair o enau neb yn ystod y rhuthr i gyrraedd eu pebyll clyd. Roedd llygaid Glyn bron ar gau pan neidiodd i mewn i'w sach gysgu – yn bennaf oherwydd diffyg cwsg y noson cynt, i gyfeiliant chwyrnu cyson Jac. Ond er i Jac chwyrnu'r noson honno eto, ni chlywodd Glyn unrhyw beth o gwbl.

Tybed a fyddai wedi cysgu o gwbl pe gwyddai mor werthfawr oedd yr arteffact newydd a orweddai yn ymyl ei sach gysgu?

12

Torch wddw

Roedd hi wedi naw o'r gloch pan ddihunodd y bechgyn fore trannoeth. Roedd hi'n fore Sul tywyll, a'r cymylau uwchben yn bygwth arllwys eu llwyth dros bob cwr o Bentre Ifan. Gwlychwyd y ddaear gan law yr oriau mân, ar wahân i un petryal bach sych lle bu campyr-fan Cai ac Aron yn gorffwys dros nos. Roedden nhw, ynghyd â Cari a Llinos, wedi gadael ers hanner awr wedi saith. Synnai'r bechgyn nad oedden nhw wedi clywed eu sŵn wrth iddyn nhw fwyta'u brecwast a gyrru allan o'r ganolfan.

'Mae'n rhaid ein bod ni wedi cysgu'n sownd i beidio â'u clywed nhw,' meddai Deian wrth estyn am y tegell i'w lenwi â dŵr.

Edrychodd Glyn ar y tân marw a phenderfynu mynd i gynnau ei stôf fach nwy er mwyn berwi'r tecell ar honno. Ychydig funudau'n ddiweddarach roedd y tri bachgen yn eistedd yn amyneddgar yn disgwyl i'r tecell ferwi pan glywson nhw leisiau o gyfeiriad y goedwig – lleisiau Rhodri, Megan a Bethan – a rhedodd Jack bach i'w cyfarch gan ysgwyd ei gynffon yn llawen eto fyth.

‘Ocê, ocê!’ meddai Bethan yn ddiamynedd wrth stryffaglu i rwystro’r ci rhag ei tharo i’r llawr. ‘Dwi wedi gweld dy ishe di ’fyd!’ meddai, wrth i Jack ddal i neidio i fyny ac i lawr yn mynnu sylw. O’r diwedd, cyrhaeddodd y tri ardal y pebyll â golwg flinedig iawn ar eu wynebau.

‘Dwi’n cymryd na chysgoch chi ryw lawer neithwr ’te?’ gofynnodd Deian â gwên ar ei wyneb.

Gwgodd Megan arno cyn troi at Glyn. ‘Gobeitho dy fod ti’n hapus â ti dy hunan!’ arthiodd.

‘Fi?’ gwaeddodd Glyn. ‘Be ’nes i?’

‘Ti’n gwbod yn iawn be ’nest ti! Codi ofn ar Bethan a minne fel ’na! Ffaelon ni gysgu am orie ar ôl dy dric di. Y cyfan ro’dd Bethan yn gallu’i glywed o’dd y sgrech oeraidd ’na’n adleisio trwy’i phen.’

‘Ro’dd hi *yn* sgrech dda, cofiwch!’ atebodd Glyn, gan deimlo’n falch iawn o’i allu i ddychryn pobl fel ag y gwnaeth.

Nodiodd Jac ei ben i gytuno. ‘Ges *i* ofan,’ meddai, ‘ac ro’n i’n gwbod dy fod ti’n mynd i sgrechian!’

‘Be sy i frecwast?’ gofynnodd Rhodri wrth ddisgyn i un o’r cadeiriau-glan-môr. ‘Doedd dim digon o *Rice Krispies* ar ôl i ni fedru cael brecwast yng Nghastell Henllys.’

‘*Rice Krispies*?’ llafarganodd y bechgyn eraill gyda’i gilydd wrth edrych mewn syndod ar Rhodri a’r merched.

‘Ie, Lleu o’dd yng ngofal pethe y bore ’ma, ac fel

arfer, roedden nhw'n bwyta bwyd siop 'to – nid y llysie a'r bara maen nhw'n 'u cynhyrchu yng Nghastell Henllys 'i hunan.'

'Os chi'n gofyn i fi, sdim llawer o glem 'da'r Lleu 'na shwt o'dd y Celtied yn arfer byw,' meddai Megan yn bendant. 'Mae'n llawer rhy hoff o'r ffôn symudol newydd 'na sy 'da fe. Na'th e ddim stopo anfon negeseuon testun i rywun drwy'r bore – heb anghofio'r pysgod a sglods i swper neithiwr.'

'A'r treiffl!' ychwanegodd Bethan.

'A'r treiffl,' pwysleisiodd Megan. 'Dwi'n gweud wrthoch chi, dyw Lleu ddim yn byw yng Nghastell Henllys achos 'i fod e'n joio bywyd y Celtiaid ac ishe byw fel roedden nhw'n arfer byw. Ma 'na ryw resyme erill 'da'r boi 'na.'

Nodiodd Bethan ei phen i gytuno. 'Ti'n iawn! Ma Arianrhod a Bronwen yn byw fel Celtiaid go iawn – ar wahân i'r bwydydd ma Lleu yn 'u rhoi iddyn nhw, wrth gwrs.'

'Be? Ti'n trio gweud nad o'dd pysgod a sglods, treiffl a *Rice Krispies* ar fwydlen y Celtied ddwy fil o flynyddoedd yn ôl?!' meddai Glyn yn wawdlyd.

Drwy lwc, berwodd y tecell yn swnllyd, gan dynnu sylw pawb cyn i ffrae arall gychwyn rhwng y bechgyn a'r merched. Yfodd pawb yn awchus, gan ddipio bisgedi yn y te nes bod y rheini'n feddal braf cyn eu bwyta'n gyflym rhag iddyn nhw ddisgyn a suddo i'r gwaelod.

‘Welsoch chi Cai, Aron, Llinos neu Cari cyn i chi adael Castell Henllys?’ gofynnodd Jac yn sydyn wrth gofio nad oedd e wedi gweld ei gefndryd ers y diwrnod cynt.

‘Do, welson ni bip ohonyn nhw’n cyrraedd, a’r pedwar wedi’u gwisgo fel Celtiaid unwaith ’to. Ond fe aethon nhw i ddechrau gweithio’n syth, felly chawson ni ddim cyfle i siarad â nhw’n iawn,’ atebodd Rhodri wrth yfed y diferyn olaf o’i de.

‘Felly dy’n nhw’n gwbod dim am ein hantics ni neithiwr ’te?’ holodd Jac yn obeithiol. Roedd e’n ofni ymateb ei gefndryd wrth glywed am ei ymweliad canol nos ef a’i ddau ffrind i’r fryngaer.

‘Falle nag’yn nhw’n gwbod ’to,’ atebodd Megan ar ran Rhodri, ‘ond mi fyddan nhw’n gwbod unwaith y gwela *i* nhw.’

‘O plîs! Paid â gweud wrthyn nhw!’ plediodd Jac arni. ‘Dwi ddim eisie mynd i drwbwl achos beth na’th Glyn.’

‘Fydd dim rhaid i Megan weud gair wrthyn nhw,’ torrodd Glyn ar ei draws, ‘achos mi fydd Lleu wedi gneud hynny’n barod, gei di weld. Ro’dd e’n siŵr o fod yn ysu i Cai ac Aron gyrraedd y bore ’ma er mwyn ca’l dweud y cyfan. Alla i ’i weld e nawr yn gneud môr a mynydd o’r peth, a’r cyfan oherwydd ’i fod e’n ’y nghasáu i.’

‘O leia da’th un peth da mas o’r holl halibalŵ,’ meddai Deian gan godi a cherddded tuag at babell

Glyn, cyn dychwelyd â'r arteffact diweddaraf yn ei law. 'Ddaethon ni o hyd i hwn neithwr,' meddai gan ddangos y 'coler'. 'Wel, a bod yn fanwl gywir, dda'th Jack o hyd i hwn neithwr, wrth i ni gerdded 'nôl ar hyd yr un llwybr. Ti'n gwbod beth yw hi, Rhodri?'

Roedd Rhodri eisoes ar ei draed ac wedi gafael yn y gwrthrych. Aeth sawl eiliad heibio heb iddo yngan yr un gair. Edrychodd y lleill arno'n ddisgwylgar. Roedd yr olwg ar wyneb Rhodri'n bictiwr, fel petai newydd ddarganfod sgerbwd deinosor.

'Dim ond un peth all hon fod,' meddai'n bwyllog. 'Torch wddw Rufeinig, ac un hardd iawn ar hynny.'

'Be fydden nhw'n 'u neud â thorch wddw, Rhods? Ar gyfer anifeilied, ife?' gofynnodd Glyn.

'Nage, achan! Dim ond Celtiaid pwysig iawn fydde'n cael gwisgo torch fel hon. Fel arfer, ma nhw wedi'u gneud o arian neu haearn, ond weithie mi fydden nhw wedi'u gneud o aur, ac ma'r rheini'n werthfawr iawn, iawn.'

'Pa ddefnydd yw honna 'te, Rhodri?' gofynnodd Bethan yn ddigyffro.

'Dwi'n credu mai . . . un aur yw hon,' atebodd Rhodri, a'i lais yr un mor dawel ag un Bethan.

Edrychodd pawb arno'n gynhyrfus. Roedden nhw'n gwybod bod Rhodri'n deall am beth roedd e'n sôn. Fe oedd yr un mwyaf galluog a chall ohonyn nhw i gyd, ac os oedd Rhodri'n dweud bod y dorch wddw'n un brin a gwerthfawr, wel, dyna oedd hi.

'O ble ma Jack yn cael gafael ar yr holl bethe 'ma 'te?' gofynnodd Bethan o'r diwedd.

'Wel, ddaethon ni o hyd iddo fe neithwr yn cyfarth yn grac ar ryw goeden dderw yng nghanol y goedwig a'r tlws gydag e,' meddai Deian. 'Bydden i'n tybio mai o'r un man â'r tlws dda'th y dorch wddw 'ma, ond ro'dd hon dipyn glanach na'r tlws. Dy'n ni heb 'i golchi hi 'to. Ond erbyn meddwl,' ychwanegodd, gan astudio'r arteffact yn fanwl, 'fuodd Jack ar goll am amser hir, a falle bod y dorch yn 'i geg yr holl amser hynny. Felly tybed a lwyddodd Jack i olchi llawer o'r pridd i ffwrdd gyda'i boer?'

'Mae hynny'n bosib,' cytunodd Rhodri, 'ond yr hyn sy'n rhyfedd yw pa mor dda ma'r dorch wedi goroesi dros gyfnod mor hir. Fel wedes i ddoe, dyw pridd Cymru ddim yn gneud lles i wrthryche fel hyn . . . ond ma hon wedi cadw'n syndod o dda. Ma'r cerfiade i'w gweld yn glir arni, a bron nad yw'r aur yn dal i sgleinio! Dwi'n eitha siŵr – gyda gofal arbenigwr – y gall y dorch wddw 'ma edrych fel newydd!'

Edrychodd Megan ar ei horiawr cyn codi'n sydyn ar ei thraed. 'Hei, dewch mla'n!' meddai'n frysiog. 'Os arhoswn ni lawer hirach mi gollwn ni'r helfa drysor.'

'Ar frys i dwyllo heddi 'to, wyt ti, Megan?' gofynnodd Glyn gan daflu winc i gyfeiriad Jac.

'Fydda i ddim yn defnyddio Jack heddiw, diolch yn fawr,' atebodd hithau'n siarp.

'Ydyn ni am aros yn yr un timau â ddoe?' mentrodd Rhodri, gan obeithio na fyddai yn yr un tîm â Megan eto.

'Sai'n credu bod angen i ni boeni am dimau heddi,' cyhoeddodd Bethan yn bendant. 'Dwi'n eitha siŵr mai helfa drysor unigol fydd 'da nhw heddiw, rhag i'r un peth ddigwydd eto!'

'Beth am hyn 'te . . .' cychwynnodd Rhodri, 'pawb i ga'l deg munud i baratoi, yna fe gerddwn ni'n gyflym drwy'r goedwig a cha'l cyfle i dreulio chydig o amser yn archwilio'r ardal lle da'th Jack o hyd i'r ddau arteffact, cyn cyrra'dd mewn pryd i neud yr helfa drysor.'

Edrychodd y lleill ar ei gilydd gan nodio'u pennau i gytuno. 'Swnio'n iawn i fi, Rhods. Gad i fi newid 'y nillad – fe fydda i'n barod mewn dwy funud,' cyhoeddodd Glyn cyn deifio i mewn i'w babell.

Gadawodd y merched ar frys i gyfeiriad y ganolfan ei hun, tra aeth Rhodri ati i guddio'r dorch wddw mewn het wlanog a gafodd gan ei fam.

'Pam wyt ti'n gneud 'na?' gofynnodd Glyn iddo'n syn.

Edrychodd Rhodri arno'n ddifrifol. 'Clyw Glyn, ma hon yn eitem werthfawr iawn, iawn,' meddai. 'Dwi ddim yn credu y dylen ni 'i chario hi o gwmpas 'da ni rhag ofn i ni 'i cholli hi. Dwi ddim ishe'i gadel hi yn y golwg fan hyn chwaith, rhag ofn i rywun ddod heibio a chymryd ffansi ati. Felly, y peth gore i neud yw ei chuddio hi y tu mewn i'r het 'ma a'i gosod yng ngwaelod sach gysgu neu rwbeth.'

'Syniad da!' cytunodd Glyn. 'Jiw, ti'n llawn syniade da heddi, 'chan! Gei di ddefnyddio fy sach gysgu i os lici di – mae'n un drwchus iawn. Digon o badin i ddiogelu'r dorch wddw'n iawn.'

Ond wrth i Rhodri wthio'r het wlanog i mewn i'r sach gysgu, cafodd Glyn syniad. 'Aros eiliad, Rhods, gad i fi dynnu llun o'r dorch ar fy ffôn symudol, a gallwn ni ei ddangos i Cai ac Aron wedyn. Os oedden nhw wedi'u syfrdanu 'da'r tlws, mi fyddan nhw wrth 'u bodde â hon!'

Tynnodd Glyn y ffôn o'i boced a thynnu llun agos o'r dorch wddw, cyn i Rhodri ei gosod yn ofalus yng ngwaelod sach gysgu Glyn. Cododd Rhodri ei drwyn yn uchel i'r awyr. 'Jiw, ma 'na arogl afiach tu mewn i dy sach gysgu di, Glyn! O! Sdim rhyfedd – dy hen dreinyrs di yw'r rhain?'

Tynnodd Rhodri hen bâr o dreinyrs allan o waelod sach gysgu ddwfn Glyn a gwenodd hwnnw'n braf arno.

'Da iawn, Rhods boi! Fydd dim angen i fi wisgo'r welingtons afiach 'na fyth eto!'

Gwenodd Rhodri ar ei ffrind. 'Dwi'n gwbod, Glyn, a gyda'r arogl afiach 'na yng ngwaelod dy sach gysgu di, sdim angen i ni boeni y bydd rhywun yn mentro whilio mewn yn fan'na!'

13

Yr ail helfa

Cyrhaeddodd y chwech ohonyn nhw fôn y goeden dderwen lle bu Jack yn cyfarth y noson gynt.

'Ti'n siŵr mai hon oedd hi, Glyn?' gofynnodd Megan yn gellweirus. 'Ma pob coeden yn edrych yr un fath i fi. Edrych ar honna! Mae'n edrych yn union yr un fath â'r un rwyt ti'n syllu arni!'

Crafodd Glyn ei ben yn araf. Oedd, roedd e'n siŵr mai hon oedd y goeden. Ond erbyn meddwl, roedd yr hyn roedd Megan yn ei ddweud yn wir hefyd. Edrychodd ar Deian a Jac am gefnogaeth, ond ysgwyd eu pennau wnaethon nhw. Wrth gerdded ar hyd y llwybr ar y ffordd o Bentre Ifan, roedd y ddau wedi mynnu mai Glyn fyddai'r un gorau i'w harwain at y goeden, gan mai fe oedd yn cario'r fflachlamp y noson cynt. Awgrym Bethan oedd y dylsen nhw ddefnyddio Jack â'i drwyn craff i ddod o hyd iddi, ac y byddai gadael iddo arogli'r tlws neu'r dorch wddw'n ddigon i roi'r sent iddo fynd i chwilio yn yr ardal gywir. Ond, wrth gwrs, roedd y dorch wddw'n ddiogel yng ngwaelod sach gysgu Glyn, ac roedd Megan wedi anghofio tynnu'r tlws oddi ar y dillad a wisgai ddoe wrth iddi newid ei dillad y bore hwnnw.

'Pam nad yw Jack ar drywydd rhwbeth newydd heddi, ta beth?' gofynnodd Deian wrth wylio'r ci bach yn eistedd a phendwmpian ar bentwr o ddail gerllaw.

'Wedi blino mae e, siŵr o fod. Fel arall mi fydde fe'n siŵr o ddod o hyd i rywbeth i'w gario yn ei geg. Tlws arall, falle, neu arfwisg hardd – neu hyd yn oed esgyrn rhyw Gelt marw!' cynigiodd Glyn gan chwerthin. Edrychodd y lleill yn gam arno. 'Ocê, 'te, falle ddim esgyrn. Bydde hynny'n mynd yn rhy bell, ond mae'n siŵr y daw e o hyd i rwbeth arall, pan fydd awydd arno fe.'

Edrychodd yntau hefyd ar y ci bach yn pendwmpian yn y dail, gan gytuno mai blinder oedd y rheswm y tu ôl i'w ddiffyg diddordeb. Treuliodd y criw chwarter awr yn crwydro'r ardal gan ddefnyddio brigau hir, main i grafu'r ddaear yma a thraw fel pe baen nhw'n disgwyl darganfod llond bag o arteffactau o oes yr haearn, wedi'i adael yno gan ryw gasglwr eitemau hynafol, esgeulus.

'Dewch, ni'n gwastraffu'n hamser fan hyn,' cynigiodd Jac o'r diwedd. Roedd ei fol e'n dechrau gwneud sŵn eto fyth, ac roedd y pryd bwyd a drefnwyd gan bobl Castell Henllys ar gyfer yr ymwelwyr yn galw amdano! 'Yr unig un sy'n mynd i'n harwain ni at y trysor yw Jack bach.'

'Fel 'nath e ddoe, ti'n meddwl?' gofynnodd Glyn gan edrych yn slei ar Megan. 'Yn yr helfa drysor, yn twrio a cheibo'r ddaear a darganfod arteffacte hynafol?'

Cododd Rhodri ei aeliau wrth glywed hyn. 'Wrth gwrs!' meddai. 'Rydyn ni'n crafu wyneb y ddaear yn disgwyl dod o hyd i rwbeth arall gwerthfawr, ond mae'n amlwg mai twrio'r eiteme allan o dan y ddaear 'nath Jack! Fydden i'n dychmygu bod y tlws wedi'i gladdu'n gymharol fas o'i gymharu â'r dorch wddw, a dyna pam y cymerodd fwy o amser iddo ddod o hyd i'r dorch.'

'Ond dyw hynny ddim yn egluro pam fod y dorch mor lân ac mewn cystal cyflwr, er ei bod hi'n gorwedd yn y pridd ers cannoedd o flynyddo'dd,' cynigiodd Bethan. Roedd hi wedi gwrando'n astud ar esboniad Rhodri, a cheisiodd wneud synnwyr o'r holl sefyllfa anghyffredin.

'Dewch mla'n! Bydd raid i ni feddwl am hyn rywbryd 'to,' meddai Jac eto, yn fwy blin y tro hwn. 'Ar y funud, alla i ddim meddwl am ddim byd heblaw 'y mola, felly siapwch hi!' Trodd ei gefn ar y criw a cherdded i gyfeiriad y llwybr unwaith yn rhagor.

Prin ddeng munud gymerodd hi i'r criw gyrraedd Castell Henllys, a hynny am fod arogl y bwyd wedi'u cyrraedd ymhell cyn iddyn nhw gyrraedd gan annog Jac i gyflymu ei gamau tuag at fynedfa'r fryngaer.

Roedd hi'n dawelach yno nag oedd hi ddydd Sadwrn, a hynny'n bennaf oherwydd y tywydd, yn ôl Cari a Llinos. Roedden nhw wedi sylwi ar gyfnither Llinos yn cyrraedd gyda'i ffrind a'r bechgyn, ac wedi dod i'w cyfarch cyn mynd 'nôl at brysurdeb yr helfa drysor, a chychwyn yr un olaf am y penwythnos hwnnw. Ymhen dwy funud, ymunodd Cai ac Aron â nhw gan ddechrau sgwrsio'n frwd.

'Ry'ch chi wedi cyrraedd mewn pryd i lenwi'ch boliau a chymryd rhan yn yr helfa drysor, dwi'n cymryd?' holodd Aron gan wenu, a datgelu'r rhes o ddannedd gwynion fel arfer.

'Ry'ch chi'n lwcus o ran y bwyd,' ychwanegodd Cai. 'Gan fod llai o bobl yma heddiw na ddoe, bydd mwy o fwyd ar gyfer pawb. A dylai'r helfa drysor fod yn dda heddiw 'fyd, os yw'r hyn ma Cari a Llinos wedi bod yn 'i weud yn wir!'

Atgoffwyd Glyn o'r llun yn ei boced. 'Hei bois, beth wnewch chi o hon?' gofynnodd wrth chwilio trwy'r ffeiliau ar ei ffôn am y llun, a'i ddangos i Aron. 'Chi'n gweld, ry'n ni wedi bod ar ein helfa drysor ein hunen, ac ma'r gwobre ry'n ni'n dod o hyd iddyn nhw dipyn gwell na threulio noson ddi-gwsg mewn tŷ crwn!'

Craffodd y ddau ddyn ifanc ar y llun am gryn amser. Safodd y lleill yn dawel i ddisgwyl eu hymateb. 'Wel, mae'n amlwg mai torch wddw yw hi,' dechreuodd Cai, 'ond mae'n anodd iawn gweud unrhyw beth mwy na hynny wrth edrych ar lun yn unig.'

'Ond, mae'n edrych yn un dda . . . yn un arbennig iawn, weden i, a dwi bron yn siŵr ei bod hi'n ddilys. Torch wddw go iawn yw hi – hynny yw, nid rhwbeth modern wedi'i gneud i *edrych* yn hen,' ychwanegodd Aron.

'Ydi hi 'da chi 'ma nawr?' holodd Cai.

'Na, ry'n ni wedi'i gadael hi 'nôl ym Mhentre Ifan,' atebodd Rhodri.

Diflannodd y brwdfrydedd o wynebau'r ddau frawd. 'Sdim ots,' meddai Aron. 'Gawn ni gyfle i'w gweld hi nes mla'n, dwi'n siŵr.'

Gyda hynny, sylwodd Cai ar Lleu yn cerdded tuag atyn nhw. 'Hei! Lleu, dere 'ma am eiliad!' galwodd.

'O, na!' meddai Glyn dan ei anadl. Roedd e wedi gobeithio medru osgoi Lleu heddiw.

'Dere i edrych ar hwn,' meddai Cai gan estyn ffôn Glyn iddo.

'Wel, wel, wel, beth sy 'da ni fan hyn 'te?' gofynnodd Lleu â thinc wawdlyd yn ei lais. 'Ffôn pwy yw hwn?'

Plygodd Glyn ei ben ac edrychodd Lleu arno â gwên lydan ar ei wyneb. 'Jiw jiw, dy ffôn di Glyn yw e, ife? A beth wyt ti 'di'i ffeindio nawr, sgwn i?'

Cymerodd Lleu un cipolwg ar y dorch wddw yn y llun, a diflannodd y wên ar unwaith. Diflannodd y dinc wawdlyd yn ei lais hefyd. 'Waw! 'Na beth yw torch hardd. Hardd iawn. Ble daethoch chi o hyd i hon 'te?'

'Yn agos at y llwybr ar y ffor– . . . AW!' ebychodd Jac wrth deimlo penelin Glyn yn ddwfn yn ei ochr.

'Dy'n ni ddim yn gwbod ble o'dd hi'n union. Jack y ci ddaeth â hi adre neithiwr. Ni'n credu falle mai o'r fan hyn y da'th hi,' atebodd Glyn yn gelwyddog. Doedd e ddim am rannu'i gyfrinach gyda'r bwbach yma, o bawb!

Chwarddodd Lleu wrth glywed ymateb Glyn. Chware teg iddo. Roedd yn ateb dilys iawn. 'Ble mae'r dorch 'da chi nawr? Ydi hi 'da chi fan hyn?' gofynnodd.

'Dyw hi ddim 'da ni fan hyn, ond mae'n ddigon saff, paid ti â becso!' oedd unig ateb Glyn.

'Ddaethoch chi 'nôl, 'te?' gofynnodd Bronwen yn sydyn gan achosi i Megan a Bethan neidio mewn dychryn. Doedden nhw heb sylwi arni hi ac Arianrhod yn ymuno â nhw o ddrws agored y tŷ crwn.

'Do, er gwaetha'r diffyg cwsg, ry'n ni 'nôl ac yn benderfynol o ennill yr helfa drysor am yr eildro!' meddai Bethan gan chwerthin.

'Wel, chewch chi ddim aros yma heno 'to,' cyhoeddodd Lleu yn bendant. 'Ddim ar ôl yr holl halibalŵ neithwr.'

'Neithwr?' meddai pawb ar draws ei gilydd. Roedd hi'n amlwg nad oedd pawb wedi cael gwybod am helyntion canol nos Glyn a'r bechgyn.

Rhoddodd Glyn bwniad ysgafn i Jac yn ei ochr cyn amneidio i gyfeiriad y bwyd. 'Amser i ni ddiflannu, dwi'n credu,' meddai, a chytunodd yntau ar unwaith.

Roedd Deian wrth gynffon y ddau wrth iddyn nhw ddiflannu y tu ôl i'r tŷ crwn, allan o olwg y criw bach oedd ar fin clywed hanes eu helyntion neithiwr.

'O'dd raid i hwnna agor ei geg fawr?' gofynnodd Jac yn flin. Gwyddai y byddai ei gefndryd wedi'u siomi wrth glywed amdano'n creu helynt yng Nghastell Henllys.

'Paid â becso, achan! Ma Cai ac Aron yn fois cŵl. Fe fyddan nhw'n ocê gyda ti, gei di weld,' perswadiodd Deian ef. Ond doedd Jac ddim mor siŵr.

Cyn bo hir roedd arogl cig oen a chig moch yn llenwi'u ffroenau wrth iddyn nhw giwio o flaen y bwrdd bwyd. Anghofiodd Jac y cyfan am ei gefndryd. Anghofiodd am bopeth. Roedd arogl y bwyd yn wych, a phenderfynodd y byddai'n bwyta dwywaith cymaint ag arfer – jyst rhag ofn y byddai'n rhaid iddo aros yn hir am ei swper heno, fel cosb!

Erbyn cyrraedd blaen y ciw, roedd Rhodri wedi ymuno â nhw. Llwyddodd yntau i dawelu meddwl Jac wrth ddweud bod Cai ac Aron wedi derbyn mai jôc ddiniwed oedd y cyfan. Llanwodd y bechgyn eu platiau a chymryd cwpanaid o ddŵr yr un cyn symud i gornel pellaf y fryngaer i fwyta ac yfed mewn tawelwch. Roedd cael bod yno ar eu pennau'u hunain, yn tynnu coesau'i gilydd a rhannu ambell jôc yn chwareus heb bryfocio cyson y merched, yn deimlad braf.

'Chi'n meddwl y byddwn ni'n dal yn ffrindiau flwyddyn i nawr, bois?' gofynnodd Glyn yn sydyn.

'Wrth gwrs y byddwn ni, Glyn boi!' atebodd Jac yn syth. 'Be sy'n gneud i ti feddwl yn wahanol?'

'Dim rheswm, am wn i,' dechreuodd Glyn, ond sylwodd ar yr olwg ryfedd ar wynebau'r lleill ac aeth ymlaen i egluro. 'Wel . . . meddwl . . . 'na'i gyd . . . gan ein bod ni'n mynd i'r ysgol uwchradd fis nesa . . . y bydd ein bywyde ni'n newid cryn dipyn. Mwy o wynebe . . . mwy o blant i neud ffrindie â nhw . . .'

'Ti'n poeni ein bod ni'n mynd i neud ffrindie eraill, ac anghofio amdanat ti?' holodd Deian yn ddifrifol.

'Na . . . ond, wel . . . ydw . . . falle mod i!' Cododd Glyn ei aeliau ar y lleill gan edrych ar bob un yn eu tro.

'Paid â bod yn hurt, Glyn! Fe fyddwn ni'n ffrindie am byth, achan! Y pedwar ohonon ni! Ocê, falle'n bod ni'n cwmpo mas weithie, neu'n tynnu coese'n gilydd gan fynd braidd dros ben llestri, ond fe fyddwn ni *wastad* yn ffrindie!'

Roedd Jac ar ei draed erbyn hyn ac yn camu 'nôl a

mla'n yn benderfynol. Gwenodd Glyn arno. Roedd Jac yn ffrind da.

'Byddwn ni'n siŵr o neud ffrindie newydd hefyd, cofiwch,' ychwanegodd Rhodri wrth i Jac ddod 'nôl i eistedd yn ei ymyl. 'All y pedwar ohonon ni ddim aros 'da'n gilydd bob eiliad o bob dydd. Fe ddaw 'na ffrindie newydd, wrth gwrs, ond gallwn ni ddal i fod yn ffrindie gore.'

Cododd Jac ar ei draed unwaith eto gan ddal ei gwpan dŵr yn uchel yn yr awyr. 'Llwncdestun,' meddai. 'I ffrindie gore.'

Cododd y tri arall ar eu traed yn ddireidus. 'I ffrindie gore,' medden nhw'n uchel, cyn taflu cynnwys eu cwpanau dros Jac druan, a rhedeg i ffwrdd dan chwerthin!

14

Siom

Os mai dilyn llwyddiant y diwrnod cynt oedd nod y plant gyda'r helfa drysor newydd, yna fe gawson nhw eu siomi'n fawr. Yn un peth, doedd dim hawl gan yr un o'r ddau dîm gael Jack y ci'n gwmni, rhag ofn iddyn nhw ei ddefnyddio i dwyllo unwaith eto. Felly mynnodd Llinos y byddai'r daeargi'n aros gyda hi trwy gydol yr helfa.

Roedd Megan ar fin protestio pan ddaliodd hi lygad Glyn a gweld yr olwg fuddugoliaethus ar ei wyneb. 'Na!' meddyliodd, cyn troi at Llinos. 'Dim problem – mi gei di gadw Jack, achos allwn ni ennill yn erbyn yr amaturied 'ma heb help unrhyw gi, ta beth.'

Er i eiriau Megan godi gwrychyn y bechgyn a'u hannog i ymdrechu hyd yn oed yn galetach nag arfer, ni chafodd 'Tîm Megs' na 'Thîm Glyn' unrhyw lwyddiant yn yr helfa ddydd Sul, gan golli i dîm o ffrindiau oedd wedi teithio'r holl ffordd o Gaerdydd. Roedd tîm y bechgyn yn gwneud yn arbennig o dda tan tua hanner ffordd drwy'r helfa, pan sylwodd Glyn ar Lleu yn mynd â Jack am dro ar dennyn allan trwy brif fynedfa'r fryngaer.

'Hei, bois! Drychwch!' meddai, gan godi'n araf oddi ar ei bengliniau a syllu ar y ci'n tynnu Lleu'n frwd i gyfeiriad y goedwig.

'Shwt y'ch chi'n dod mla'n, fechgyn?' gofynnodd llais cyfarwydd y tu ôl iddyn nhw.

Trodd Glyn ei ben yn sydyn i weld Llinos yn gwenu'n gyfeillgar arnyn nhw.

'I ble ma Lleu'n mynd â Jack?' gofynnodd Deian braidd yn fygythiol, gan wneud i wên Llinos ddiflannu'n syth.

'Wnes i ofyn iddo fe fynd â Jack am dro achos dwi'n credu 'i fod e ishe neud 'i fusnes.'

'Hy! Doedd dim llawer o waith perswadio ar Lleu, dwi'n siŵr!' meddai Glyn yn awgrymog.

'Na, ti'n iawn. Fe gytunodd e'n syth. Cyfle iddo ymestyn 'i goese, medde fe.'

'A cha'l busnesan yr un pryd!' ategodd Glyn dan ei anadl.

'Clywch, os mai gweld ishe Jack bach y'ch chi, fydd e 'nôl whap – pum munud ar y mwya,' meddai Llinos gan geisio cysuro'r bechgyn.

Ond doedd dim sôn am Lleu na Jack am o leiaf hanner awr, ac erbyn hynny roedd yr helfa wedi hen orffen. Wedi i'r canlyniad gael ei gyhoeddi, tynnodd Glyn y merched i un ochr.

'Sdim angen bod yn glyfar iawn i wbod ble aeth Lleu â Jack am dro, oes e?' meddai Jac gan blethu'i freichiau a chodi'i aeliau. 'Ma llawer gormod o ddiddordeb 'dag e mewn hen bethe, os y'ch chi'n gofyn i fi. Ac fe weda i rwbeth arall – ro'dd 'i lyged e bron tasgu mas o'i ben e pan welodd e lun o'r dorch wddw 'na ar dy ffôn di, Glyn.'

'Ti'n iawn, Jac. Dwi wedi gweud o'r bla'n ac fe weda i 'to – ma rhwbeth bach yn od am Lleu. Dyw pethe ddim yn taro deuddeg gydag e rywffordd.'

'Beth am i ni fynd 'nôl i Bentre Ifan? Ma'r lle 'ma'n codi'r felan arna i,' meddai Bethan gan edrych o'i hamgylch yn ofnus. Doedd hi ddim mor hoff o'r fryngaer ar ôl treulio noson ddiflas yno. A rhwng yr holl ddirgelwch am ddarganfod yr arteffactau, ac ymddygiad amheus Lleu, roedd hi'n fwy na pharod i adael er mwyn treulio'r prynhawn 'nôl yn y ganolfan.

Cytunodd y lleill, ac wedi iddyn nhw ffarwelio â Llinos a Cari, a chodi llaw ar Cai ac Aron o ben pella'r fryngaer, gadawodd y chwech gyda Jack yn dilyn yn ufudd wrth eu sodlau.

Ni sylwodd yr un ohonyn nhw ar Lleu yn eu gwylio nhw'n gadael o'r tu ôl i un o'r tai crwn â golwg go gynhyrfus ar ei wyneb.

* * *

'Beth ar y ddaear . . ?' ebychodd Jac gan gyflymu'i gamau tuag at ei babell wrth sylwi fod y sip led y pen ar agor a bod cynnwys ei fag wedi'i daenu dros bob man. Cyflymodd y lleill hefyd, a rhedodd Jack bach o amgylch y pebyll gan gyfarth yn uchel.

'Pwy yn y byd sy 'di bod 'ma?' gofynnodd Jac gan syllu'n gegrwth o'i amgylch. 'A pham? Oes rhywun yn trio whare jôc arnon ni neu rwbeth?'

Edrychodd Glyn a Rhodri ar ei gilydd. Yna, heb ddweud gair, cydiodd Glyn yn ei sach gysgu gan gladdu'i law yn ei chrombil a theimlo'n wyllt o gwmpas ei gwaelod. 'Diolch byth! Ma hi 'ma o hyd!' llefodd. Cododd y dorch wddw'n fuddugoliaethus i'r awyr a rhoddodd Rhodri ochenaid o ryddhad.

'O! Ti'n meddwl mai whilio am y dorch o'n nhw!' deallodd Jac o'r diwedd.

'Nhw? Hy! *Fe* ti'n meddwl!' meddai Megan yn flin wrth feddwl am yr un person roedd y lleill yn ei ddrwgdybio hefyd. Lleu.

'Ond fydde fe ddim wedi cael amser i ddod yr holl ffordd lan fan hyn, gneud yr holl lanast 'ma a mynd 'nôl i Gastell Henllys hefyd!' cyhoeddodd Jac yn bendant. 'Dyw e ddim yn edrych yn ddigon ffit i fi.'

Dechreuodd y lleill grafu'u pennau hefyd. Falle bod Jac yn iawn wedi'r cwbwl. Mi fyddai'n dipyn o sialens i Lleu fod wedi gwneud y cyfan mewn hanner awr. Ond dyna'r unig esboniad. Roedden nhw wedi'i weld e'n gadael y fryngaer gyda Jack, ac wedi meddwl mai mynd i chwilio am ragor o arteffactau yr oedd e. Ond beth os mai chwilio am y dorch wddw oedd ei fwriad e, ac nad oedd trwyn y daeargi wedi profi mor llwyddiannus y tro hwn?

'Mae'n rhaid bod gwaelod dy sach gysgu di'n arogli'n waeth nag o'n i'n meddwl os na lwyddodd Jack i ddod o hyd i ddim byd yn 'i waelod e!' chwarddodd Megan yn uchel.

Chwerthin wnaeth Glyn hefyd. Roedd e'n falch iawn bod drewdod ei draed a'i hen dreinyrs wedi bod yn fanteisiol am unwaith, ac wedi llwyddo i gadw'r lleidr draw.

Cydiodd Bethan yn y daeargi bach a'i anwesu'n annwyl. 'Os mai Lleu 'nath hyn, a'i fod wedi ceisio defnyddio Jack i ddod o hyd i'r dorch wddw, falle bod Jack yn gwbod yn iawn ble'r o'dd y dorch, ond 'i fod e wedi gwrthod dangos i Lleu rhag gneud cam â ni.'

Gwenodd y lleill ar ei gilydd wrth feddwl am y fath syniad.

'Ond beth am y tlws, Megan?' cofiodd Rhodri'n sydyn. 'Fe ddangosodd Lleu gryn dipyn o ddiddordeb yn hwnnw hefyd. Ddaeth e o hyd iddo, ti'n meddwl?'

'Dwi'n ame hynny'n fawr,' atebodd Megan. 'Ma drws y porthdy ar glo, a dwi ddim yn meddwl bod 'na unrhyw ffordd arall i mewn.'

'Well i ni fynd i weld,' awgrymodd Jac gan brysuro i gyfeiriad yr hen borthdy. Doedd e ddim yn hapus ynghylch y sefyllfa o gwbl. Pa hawl oedd gan unrhyw un i fynd i mewn i'w pabell a thwrio drwy eu pethau? Yn sydyn, sylwodd ar ddrws agored y porthdy'n chwythu yn y gwynt.

Dechreuodd weiddi. 'O na!' ochneidiodd Bethan gan gyflymu'i chamau, ond yna stopiodd yn sydyn. 'Ond beth os yw'r lleidr yn dal tu fewn?' gofynnodd mewn llais ofnus.

'Dwi'n meddwl bod y lleidr yn ddigon pell erbyn hyn, Bethan, paid ti â phoeni,' meddai Rhodri'n dawel gan roi ei fraich o gwmpas ei hysgwydd. Roedd Bethan druan yn crynu fel deilen.

'Odi! Ma'r lleidr wedi hen ddiflannu 'nôl i'w fryngaer – sdim angen iti fecso am hynny,' adleisiodd Glyn. Roedd e'n hollol siŵr mai Lleu oedd wrth wraidd yr holl helynt yma.

'Nawr, ble guddiest ti'r tlws, Megan?' gofynnodd Deian gan wthio heibio'r lleill a chamu trwy'r drws agored. Anelodd am y stafelloedd gwely gyda Megan yn dynn wrth ei gwt.

'Ym . . . wel . . . wnes i mo'i guddio fe . . . a gweud y gwir . . . anghofio'i dynnu oddi ar fy siwmper wnes i. Felly, fe ddyle fod yn hongian dros gefn y gadair wrth ymyl 'y ngwely.'

Arhosodd Deian a Megan yn stond wrth weld yr olygfa yn y stafell wely. Roedd popeth wedi'i droi wyneb i waered. Dillad dros bob man, dillad gwely ar hyd y llawr, bagiau wedi'u taflu i'r corneli, a'r gadair yn ymyl gwely Megan yn gorwedd ar lawr.

Rhedodd Megan draw gan gydio yn ei siwmper a oedd yn gorwedd yn ymyl gweddill y dillad a wisgai'r diwrnod cynt. Cododd y dilledyn yn uchel er mwyn i bawb gael gweld bod y tlws wedi diflannu.

Penderfynodd Glyn mai beio Megan fyddai'r peth hawsaf. 'Pam na wnest ti 'i guddio fe, 'te Megan?' meddai gan wgu'n grac arni. 'Dy fai di yw hyn i gyd!'

'Do'n i ddim i wbod bod rhywun yn mynd i dorri mewn i'w ddwyn e, nag'on i?!' atebodd hithau'n bigog. 'Ac os oeddet ti mor siŵr bod rhywun yn mynd i geisio dwyn y dorch wddw, pam na faset ti 'di gweud wrtha i am guddio'r tlws? Digwydd anghofio'i dynnu oddi ar 'y siwmper wnes i!'

'Dewch mla'n nawr, does dim bai ar yr un ohonon ni!' meddai Rhodri'n bwyllog, gan geisio tawelu'r tensiwn amlwg rhwng Megan a Glyn. 'Ma pawb wedi cael tipyn o sioc oherwydd bod rhywun wedi torri i mewn ac wedi bod yn whilio trwy'n pethe ni.'

'Pan ga i afael ar y diawl . . .' dechreuodd Jac, ond cododd Rhodri ei law i'w dawelu.

'Ti ddim yn mynd i neud dim byd, Jac. Y peth calla fyddai ffono'r heddlu i roi gwbod iddyn nhw be sy wedi digwydd.'

'Ond shwt wnewn ni egluro'r tlws?' gofynnodd Deian yn ddryslyd. 'Dyna'r unig beth sy wedi'i ddwyn, ac nid ni sy'n berchen arno ta beth! Felly, mewn ffordd, ry'n *ni*'n lladron am 'i ddwyn e yn y lle cynta!'

'*Dod o hyd* i'r tlws wnaethon ni,' torrodd Rhodri ar ei draws. 'All neb ein cyhuddo ni o'i ddwyn gan ein bod ni wedi bwriadu ei roi i arbenigwr ta beth.'

'Ond 'mond ein gair ni sydd i brofi hynny! A dyw hynny ddim yn brawf go iawn,' ychwanegodd Glyn.

'Odych chi'n siŵr nad oes dim arall wedi'i ddwyn?' holodd Bethan yn drist, gan eistedd ar ei gwely'n cydio'n dynn yn ei gobennydd. Roedd hi wedi ei siomi'n llwyr gyda phawb a phopeth, a nawr roedd hi'n awyddus i fynd adre. Doedd hi ddim yn teimlo'n ddiogel o gwbl yn y lle yma.

'Na, does dim byd arall wedi'i ddwyn, felly mae'n amlwg mai chwilio am y tlws a'r dorch wddw'n unig o'dd y lleidr,' meddai Megan gan gerdded draw at Bethan i geisio cysuro'i ffrind.

'Ti'n iawn, a gan bod 'da ni syniad go lew pwy sy'n gyfrifol, dwi ddim yn credu y dylen ni ffonio'r heddlu. Ond wedwn ni'r cwbwl wrth Cai ac Aron pan ddôn nhw 'nôl. Fyddan nhw'n gwbod beth i'w neud,' awgrymodd Jac wrth i bawb ddechrau ar y gwaith o dacluso'r holl annibendod.

15

Gwely cynnar

Roedd hi'n saith o'r gloch pan ddychwelodd campyr-fan y bechgyn i Bentre Ifan y noson honno. Rhedodd Megan a Bethan allan o'r porthdy i gyfarch y merched ac i adrodd hanes helynt y prynhawn. Torrai'r ddwy ar draws ei gilydd wrth geisio egluro popeth mor glou â phosib, ond ysgwyd eu pennau a chau eu llygaid wnaeth Llinos a Cari heb lwyddo i ddeall yr un gair.

'Arhoswch eiliad!' gwaeddodd Llinos gan lwyddo i'w tawelu o'r diwedd. 'Reit, dechreuwch 'to! Yr unig beth ddeallais i fan'na o'dd y geirie "tlws" a "Lleu"! Nawr, un ar y tro os gwelwch yn dda!'

Aeth Bethan â Llinos draw at y tân, lle'r oedd fflamau braf yn dawnsio ar ôl i'r bechgyn ei gynnau'n gynharach fel ffordd o dynnu'u meddyliau oddi ar yr holl drwbwl wrth ddisgwyl i'r pedwar 'Celt' ddychwelyd o Gastell Henllys.

Wedi i bawb eistedd yn gyfforddus, cymerodd Megan a Bethan eu hamser i egluro wrth y lleill beth oedd wedi digwydd yn ystod y prynhawn, gyda'r bechgyn yn ychwanegu ambell fanylyn yn eu tro.

'A dyna pam ry'n ni'n meddwl mai Lleu sy tu ôl i hyn i gyd,' gorffennodd Glyn gan edrych yn fanwl ar wynebau Cai ac Aron. Gwyddai eu bod nhw wedi dod yn dipyn o ffrindiau gyda Lleu dros y penwythnos, ac felly ofnai y bydden nhw'n achub ei gam oherwydd hynny.

Sylwodd Jac ar wynebau ei gefndryd hefyd, a gwyddai eu bod yn amau bod gan Lleu ryw gysylltiad â'r holl helynt. Ceisiodd eu darbwyllo. 'Wnaethoch chi sylwi heddi ar y ffordd yr edrychodd Lleu ar y llun ar ffôn Glyn? Ro'dd 'i lygaid e fel soseri – ro'dd e'n amlwg wedi gweld rhwbeth wrth 'i fodd.'

'Ond Celt yw e – wrth gwrs 'i fod e'n mynd i ga'l 'i gynhyrfu wrth weld hen arteffact fel y dorch wddw 'na. Dyna'i ddiddordeb e – hanes!' protestiodd Cai.

'Ble ma'r dorch wddw 'ma ta beth?' gofynnodd Aron yn sydyn. 'Dim ond llun ohoni welson ni.'

Aeth Glyn i'w babell, a dod yn ei ôl yn dal y dorch yn falch o'i flaen. Rhewodd Cai ac Aron yn eu hunfan wrth weld mor odidog yr edrychai wrth i fflamau'r tân gael eu hadlewyrchu yn y cerfiadau aur hardd.

'Diolch byth na lwyddodd y lleidr, pwy bynnag o'dd e, i ddod o hyd i hon,' meddai Aron yn dawel wrth gymryd y dorch o ddwylo Glyn a'i hastudio'n fanylach. 'Ma hon yn werth ffortiwn. Ffortiwn a hanner!'

Edrychodd y plant yn bles iawn ar ei gilydd, a dechreuodd Jack y ci bach ysgwyd ei gynffon yn frwd fel pe bai yntau'n ymfalchïo yn ei ran ef yn y darganfyddiad.

'Ti'n meddwl ei bod hi'n un go iawn, 'te?' sibrydodd Rhodri gan glosio at Aron er mwyn edrych yn fanylach ar y dorch. Roedd e'n ofni y câi ei siomi wrth glywed mai torch gymharol gyfoes oedd hi, ac nid un hynafol o Oes y Rhufeiniaid fel y tybiai.

'O, dwi'n meddwl bod Cai a finne'n gwbod digon am bethe fel hyn i allu dweud i sicrwydd bod hon yn hen ofnadw, ac yn dyddio 'nôl i'r cyfnod pan o'dd y Rhufeinied yn crwydro'r ardal 'ma. Mi fydden nhw wedi ymosod ar lwyth y Celtied o'dd yn byw yng Nghastell Henllys, sdim dowt – a dyna frwydr erchyll fyddai honno wedi bod!'

Agorodd llygaid Bethan led y pen. Brwydr? Rhwng y Celtiaid a'r Rhufeiniaid? Roedd honno'n stori gyfarwydd. Yn rhy gyfarwydd o lawer! Teimlodd law Megan yn dal yn dynn yn ei llaw hithau wrth i'r ddwy gofio'r stori a glywson nhw'r noson cynt. O un i un, gwawriodd y gwirionedd ar wynebau'r bechgyn hefyd. Bu distawrwydd am amser hir.

'Reit, sai'n gwbod amdanoch chi, ond dwi'n mynd i ga'l swper a gwely cynnar,' meddai Aron ymhen tipyn. 'Ma heddiw wedi bod yn ddiwrnod ofnadw o hir a blinedig, a bydd raid i fi yrru adre ben bore fory, felly fe fydda i yn 'y ngwâl erbyn wyth o'r gloch, gobeithio.'

Ymestynnodd Cari ei breichiau'n uchel i'r awyr gan ddylyfu gên ar yr un pryd. 'Ti'n iawn Aron, mae heddiw wedi bod yn ddiwrnod hir. Gwely cynnar i finne 'fyd, dwi'n meddwl.'

Edrychodd Glyn arnyn nhw o un i un, yn methu credu'i glustiau. Mynd i'r gwely? Ar ôl clywed y fath stori? Oni ddylen nhw fod yn ffonio'r heddlu, neu o leiaf yn neidio i'r campyr-fan ac yn gyrru i Gastell Henllys i ofyn i Lleu ble'r oedd e wedi cuddio'r tlws?

Edrychodd Deian o'i amgylch yn wyllt hefyd – roedd e wedi gobeithio cael ychydig o gyffro wrth geisio datrys dirgelwch y dydd gyda chefndryd Jac. Nid mynd i'r gwely!

'Beth am ddod i ga'l swper 'da ni yn y porthdy heno, bois? Wnewn ni ddefnyddio'r ffwrn am unwaith – bydde hynny'n haws na choginio ar y tân agored 'to. Beth amdani?' gofynnodd Llinos wrth Cai ac Aron.

'Www, ie plîs,' atebodd Cai yn syth. 'Sdim awydd coginio oddi ar fla'n fforc arna i heno 'to! Pawb yn hapus â hynny?'

'Sdim awydd bwyd arna i,' atebodd Glyn yn bwdlyd. Eisteddai'n benisel, ei ddau benelin ar ei bengliniau.

'Na finne,' meddai Jac.

Eisteddodd y plant i gyd yn dawel wrth i'r pedwar arall fynd i mewn i'r porthdy i wledda.

'Swper a gwely, wir!' meddai Megan yn flin wedi i ddrws y porthdy gau'n glep.

'Ti'n iawn,' cytunodd Glyn gan godi ar ei draed a sefyll a'i gefn at y tân. 'Rhwng Lleu a'i *fish-a-chips* a'i dreiffls, a Cai ac Aron â'u gwresogydd a'u dŵr twym a'u ffwrn, ma 'na lot o dwyllo'n mynd mla'n y penwythnos 'ma! Ni yw'r unig rai sy'n gwersylla go iawn, a dwi'n dechre ca'l llond bol ar agwedd pawb, a gweud y gwir!'

'Beth gewn ni i swper, ta beth?' holodd Jac yn llwglyd. Doedd hyd yn oed antur y dydd ddim yn mynd i dawelu'i stumog e!

'Dwi'n credu bod 'na rywfaint o selsig ar ôl yn y porthdy. Allen i fynd i'w nôl nhw os ti'n moyn,' meddai Bethan.

Ond codi'i drwyn ar y syniad wnaeth Jac. 'Selsig 'to?!' meddai'n dorcalonnus. 'Mi fydda i'n edrych fel selsigen cyn hir!'

'Mae'n well na dim! Ta beth, fyddi di 'nôl adre fory'n bwyta bwyd cartre dy fam, felly paid achwyn!'

Roedd Jac ar fin protestio, ond wrth weld yr olwg ymfflamychol yn llygaid Bethan penderfynodd y byddai'n well iddo gadw'i geg ar gau!

Cyn bo hir, roedd y chwech yn bwyta'u swper yn dawel wrth i Jack redeg o'u cwmpas yn wyllt gan geisio bwyta pob darn gwastraff o gig, a phob briwsionyn o fara y medrai ddod o hyd iddynt ar lawr. Daeth Cai ac Aron allan o'r porthdy ymhen ychydig, yn barod am eu gwelyau. Dywedodd y ddau 'nos da' wrth bawb cyn dringo i'r campyr-fan am y nos. Yna clywyd llais Llinos yn gweiddi ar Jack o'r porthdy er mwyn iddyn nhw hefyd allu noswylio.

'Ma Jack yn aros mas fan hyn gyda ni heno,' atebodd Glyn er mawr syndod i bawb. Cerddodd Llinos draw at y criw a gweld bod y ci bach yn eistedd yn gysurus yn ei gôl.

'O! Iawn,' meddai. 'Gofalwch nad yw e'n dianc i unman – yn enwedig ar ôl rhyw gwningen neu'i gilydd yng nghanol nos!'

Edrychodd Llinos ar Bethan a Megan a gofyn a oedden nhw am fynd i'r gwely hefyd, ond ysgwyd eu pennau wnaeth y ddwy.

'Beth? Dim ond wyth o'r gloch yw hi! Arhoswn ni mas 'ma am sbel fach 'to,' atebodd Megan.

Cytunodd Bethan, er y byddai hi wedi mwynhau dianc i gynhesrwydd ei gwely; roedd pobman yn dechrau tywyllu'n barod a'r cymylau duon uwch eu pennau'n bygwth glaw eto fyth. Ond doedd hi ddim am siomi'r lleill.

'Pam wyt ti am gadw Jack mas fan hyn heno?' gofynnodd Deian wedi i Llinos fynd.

‘Wel, os daw e, Lleu, ’nôl i chwilio am y dorch wddw eto yng nghanol nos, bydd Jack yn siŵr o’i glywed e’n syth, a’n rhybuddio ni fod ’na ryw ddrygioni ar droed,’ eglurodd Glyn, gan fwytho clustiau’r daeargi bach.

‘Syniad da,’ cytunodd Bethan, gan deimlo ychydig yn fwy diogel yng nghwmni’r criw erbyn hyn.

Treuliodd y ffrindiau’r ddwyawr nesaf yn trafod popeth dan haul, o wyliau Rhodri yn Rhufain i ofidiau pawb am fynychu’r ysgol uwchradd ym mis Medi. Synnodd Glyn wrth glywed bod y merched hefyd yn poeni am y pethau bach dibwys, fel sut fydden nhw’n ffeindio’u ffordd o gwmpas eu hysgol newydd, am gyrraedd y gwersi ar amser, ymdopi gyda gwaith cartref, ofni colli’r bws yn y boreau, gwneud ffrindiau newydd ac ati. Teimlai ryddhad wrth sylweddoli bod pawb yn teimlo braidd yn nerfus ynghylch mis Medi, a gwnâi hynny iddo deimlo’n well o lawer.

Cyn hir, roedd fflamau’r tân wedi gostegu a’r oerfel yn dechrau cydio yn y plant. Drwy lwc, roedd y glaw wedi cadw draw er bod y cymylau duon yn dal i edrych yn fygythiol. Wrth weld y plant i gyd yn codi gyda’i gilydd, meddyliodd Jack bach fod yna wac ar y gweill, felly neidiodd ar ei draed ac anelu’n syth am y goedwig.

‘I ble ma hwnna’n mynd nawr?’ gofynnodd Megan yn ddiamynedd. ‘Na, Jack! Dere ’nôl, dy’n ni *ddim* yn mynd am wac yr adeg hyn o’r nos!’

Ysgydwodd Jack ei gynffon yn fodlon a dal i gerdded i gyfeiriad y goedwig.

'O! Ti wedi'i gneud hi nawr!' meddai Deian yn gellweirus. 'Ddwedest di'r gair "wac" – bydd e ishe mynd am dro nawr, gei di weld!'

'Ond gweud wrtho fe bod ni *ddim* yn mynd am wac wnes i!' protestiodd Megan.

'Sdim ots am hynny,' eglurodd Glyn. 'Fe glywodd e'r gair "wac", ac ma hynny'n ddigon i unrhyw gi!'

'Cer mla'n! Bydd raid i ti fynd ag e am dro. Ond paid â bod yn rhy hir!' meddai Jac yn ddiamynedd. Roedd yntau wedi blino erbyn hyn, ac yn daer eisiau cysgu.

'Wel, dwi ddim yn mynd ar 'y mhen fy hun!' protestiodd Megan. 'Bethan – bydd raid i ti ddod 'da fi!'

Taflodd Bethan gipolwg gofidus i gyfeiriad y goedwig gan sylwi ar y cysgodion tywyll yn ymestyn i bobman a'r synau bach rhyfedd yn adleisio drwy'r awyr. Sylwodd Rhodri ar yr ofn ar wyneb Bethan a phenderfynodd fynd gyda'r ddwy yn gwmni. Safodd Jack ger y fynedfa i'r goedwig gan siglo'i gynffon yn llawen. Roedd e'n amlwg yn gwbl effro, yn wahanol iawn i bawb arall!

'Fyddwch chi'n ddigon saff â Jack yn gwmni i chi,' meddai Glyn gyda thinc wawdlyd yn ei lais. 'Peidiwch â bod yn rhy hir.'

Cerddodd y tri gyda'r ci i mewn i'r goedwig dywyll. Ond doedden nhw ddim i wybod bryd hynny y byddai'n olau dydd cyn y bydden nhw'n cyrraedd 'nôl i'r ganolfan – os o gwbl.

16

O dan y goedwig

Hanner nos. Deffrodd Deian yn sydyn. Clustfeiniodd yn astud am rai eiliadau i geisio darganfod beth achosodd iddo ddeffro'n annisgwyl. Trodd i wynebu sach gysgu Rhodri a chodi ar ei eistedd mewn braw. Roedd y sach gysgu'n wag. Ble roedd Rhodri? Gorweddai'r sach mewn pentwr wrth geg y babell. Ar ôl i'r criw fynd am dro, aeth Glyn, Jac a Deian yn syth i'w pebyll a syrthio i gysgu, gan feddwl y byddai'r lleill yn dychwelyd i'r gwersyll yn fuan. Ond nawr, a hithau wedi hanner nos – dros ddwyawr ers iddyn nhw fynd i'r goedwig – roedd Deian yn pryderu'n fawr am ei ffrindiau.

Gwisgodd amdano'n gyflym a chamu allan o'r babell cyn rhuthro draw at Glyn a Jac yn y babell drws nesaf. Gallai glywed y naill yn chwyrnu'n uchel, a'r llall yn cysgu'n dawel yn ei ymyl. Rhoddodd bwt i fraich Glyn a galw'i enw'n uchel. Neidiodd yntau ar ei eistedd gan edrych o'i gwmpas yn wyllt. 'Be sy'n bod?' gofynnodd yn flin wrth sylwi ar Deian yn cydio yn ei fflachlamp a'i goleuo o'i flaen.

'Dyw Rhodri heb ddod 'nôl! Mae'n rhaid ei fod e a'r merched yn dal yn y goedwig gyda Jack.'

'Faint o'r gloch yw hi?' gofynnodd Glyn yn gysglyd. Doedd e ddim yn hoffi cael ei ddeffro fel hyn ganol nos.

'Pum munud wedi deuddeg,' atebodd Deian gan fflachio'i olau ar ei oriawr. 'Mae'n rhaid 'u bod nhw 'di mynd i drafferth neu rwbeth.'

'Neu ma Jack 'di mynd ar goll 'to, ac ma nhw'n whilo amdano,' cynigiodd Glyn.

Daeth sŵn ystwyrian o gyfeiriad Jac cyn i hwnnw droi ac agor ei lygaid i syllu ar y ddau arall. 'Be sy'n bod nawr?' holodd yn ddiamynedd.

A dyma Deian yn adrodd yr hanes i gyd.

'Falle'u bod nhw 'di mynd â Jack am dro . . . pell,' oedd unig sylw Jac cyn troi a cheisio mynd 'nôl i gysgu. Doedd e ddim eisiau meddwl bod rhywbeth gwael wedi digwydd, gan y byddai hynny'n golygu bod raid iddo godi a mynd gyda'r ddau arall i chwilio am y lleill. A doedd e ddim yn bwriadu gadael cynhesrwydd ei sach gysgu i neb!

'Dere mla'n, y pwdryn! Cwyd!' Ciciodd Deian goesau Jac yn ysgafn trwy'r sach gysgu a rholiodd yntau drosodd. O'r diwedd, cododd a gwisgo amdano, ac ymuno â Glyn a Deian y tu allan i'r babell.

'Chi'n meddwl y dylen ni weud wrth Cai ac Aron 'u bod nhw ar goll, a'n bod ninnau'n mynd i whilo amdanyn nhw?' gofynnodd Jac gan syllu i gyfeiriad y campyr-fan gerllaw.

'Na, gad lonydd iddyn nhw,' atebodd Glyn yn bendant. 'Dwi'n siŵr mai'r ci 'na sy wedi diflannu i lawr twll cwningen neu ffau cadno, a'r lleill yn methu'n lân â chael gafael ynddo fe. Ddown ni o hyd iddo fe, paid ti â becso.'

Cychwynnodd y tri ar hyd y ffordd i'r goedwig gyda fflachlamp Glyn yn goleuo'r llwybr o'u blaenau. Roedd y cysgodion tywyll yn cau amdanyn nhw wrth iddyn nhw dreiddio'n ddyfnach i mewn i'r coed gyda phob cam. Saethodd ias oer i lawr cefnau'r bechgyn.

'Beth am ddechre gweiddi'u henwe nhw neu rwbeth?' awgrymodd Jac, gan feddwl y byddai hynny'n eu galluogi nhw i ddod o hyd i'r lleill ynghynt. Roedd e'n dal i feddwl am gysur ei sach gysgu.

'Arhoswn ni nes y byddwn ni'n agosach at yr hen dderwen fawr 'na. Os ewn ni ar hyd y llwybr i'r dde o'r sycamorwydden, mi ddewn ni o hyd i'r dderwen yn haws wedyn. Dwi'n siŵr mai fan'na y bydd Jack. Falle'i fod e 'di dod o hyd i arteffact gwerthfawr arall – pwy a ŵyr?'

Aeth y bechgyn yn eu blaenau, a'u hanadlu dwfn yn cynhyrchu cymylau bach o anwedd gweladwy yn yr oerfel. Â'r dail a'r brigau tenau'n crensian yn dawel dan eu traed, cyrhaeddodd y tri y dderwen o'r diwedd. Yna, heb unrhyw rybudd na golwg bod unrhyw un arall yn agos, dyma nhw'n clywed sŵn llais aneglur yn galw drwy'r tywyllwch.

'Jack! Jack! Ble wyt ti Jack? Jack?'

Agorodd llygaid Jac druan yn fawr mewn ofn. Dechreuodd grynu yn ei sgidiau.

'Ym . . . dwi . . . fan hyn!' atebodd mewn llais cryg.

'Jack? Ble wyt ti Jack? Dere 'ma boi, dere 'ma!'

Edrychodd Jac o'i gwmpas yn ddryslyd. Roedd e mewn penbleth llwyr!

'Aros eiliad! Llais Rhodri yw hwnna . . . dwi'n credu,' meddai Glyn yn dawel.

Roedd hi'n anodd adnabod y llais. Swniai fel petai Rhodri wedi rhoi'i ben y tu mewn i'w got a gweiddi. Daeth y sŵn unwaith eto, a chytunodd Deian a Jac mai llais Rhodri oedd e. Ond *ble* oedd e, dyna'r cwestiwn? A pham ei fod e'n gweiddi ar Jac ac yn gofyn ble'r oedd e? Sut oedd e'n gwybod mai Jac oedd yno beth bynnag? Dim ond newydd gyrraedd oedden nhw!

'A! Dwi'n deall nawr! Gweiddi ar *Jack y ci* mae e!' cyhoeddodd Deian. 'Ro't ti'n iawn, Glyn, whilo am Jack maen nhw. Ble all hwnnw fod wedi mynd nawr 'to?'

'Rhodri! Rhodri! Ble wyt ti? Fi, Jac sy yma. A ma Deian a Glyn gyda fi. Ble wyt ti?' galwodd Jac drwy'r tywyllwch. Doedd dim angen codi'i lais rhyw lawer gan fod y synau'n cario'n rhwydd iawn yn nhawelwch y nos.

Roedd llais aneglur Rhodri i'w glywed yn ceisio ateb. Ond doedd dim modd gwneud synnwyr o'i eiriau. Cerddodd y tri i gyfeiriad y llais, gan agosáu at y goeden dderwen gyda phob cam. Oedd, roedd llais Rhodri i'w glywed yn uwch nawr, ond yr un mor aneglur o hyd. Roedd sŵn panig yn ei lais erbyn hyn, felly cyflymodd y bechgyn eu camau tuag ato. Yna'n sydyn disgynnodd y tri'n bendramwnwgl drwy hollt yn y ddaear gan lanio'n lletchwith mewn rhyw fath o gell danddaearol, dywyll. Fflachiodd Deian y fflachlamp o'i gwmpas, a dyna lle roedd Megan a Bethan yn eistedd gyda'i gilydd yn ofnus a Rhodri'n sefyll yn edrych i lawr ar ei dri ffrind gorau.

'*Beth* o't ti'n weud, Rhods?' gofynnodd Glyn o'r diwedd. 'Doedden ni ddim yn gallu dy ddeall di'n siarad.'

'Gweud o'n i wrthych chi am beidio â dod yn rhy agos i'r dderwen 'ma rhag ofn i chi neud yr un camgymeriad â ni, a disgyn i mewn i'r twll 'ma!' meddai Rhodri gan gochi hyd at fôn ei glustiau. 'Ry'n ni wedi bod 'ma ers orie, a chi o'dd ein hunig obaith o ddianc!'

'Ma hwn i'w weld yn dipyn mwy na thwll i fi, Rhods!' ebychodd Deian gan edrych o'i gwmpas yn araf. 'Ma hon fel stafell go iawn. Ma'n rhaid ein bod ni wedi disgyn pellter go lew i gyrraedd cyn belled â hyn.'

'Www, awww!' cwynodd Jac wrth geisio codi ar

ei draed. 'Dwi'n credu mod i wedi troi mhigwrn. Mae'n boenus ofnadw!'

'Beth amdanoch chi, ferched? Chi'n iawn?' holodd Deian gan fflachio'i olau arnyn nhw unwaith eto.

'Odyn! Fe lanion ni'n weddol ysgafn, diolch byth,' atebodd Megan. 'Dere, Bethan, i ni gael golwg iawn ar y lle 'ma. Deian, dere â'r fflachlamp 'na i fi!' gorchmynnodd cyn cerdded yn araf o gwmpas y stafell yn goleuo pob twll a chornel.

Dilynodd y lleill – pawb heblaw am Jac, oedd yn dal i fwytho'i bigwrn ar lawr llychlyd y stafell. Ond cyn gynted ag y clywodd ebychiadau ei ffrindiau ymhen rhai eiliadau, cododd ar ei draed yn syth a hercian draw i weld beth oedd wedi'u cyffroi gymaint.

'Waw!' meddai, gan sefyll yn stond y tu ôl i Glyn, a syllu'n gegagored ar yr hyn roedd fflachlamp Glyn yn ei ddangos.

Yno, wedi'i chloddio i mewn i wal bridd y stafell, roedd silff enfawr ac arni lestri o bob math. Roedd yno ddysglau arian hefyd, a llwythi o dlysau a thorchau gwddw hardd.

Diolchodd Rhodri nad ef oedd yn dal y fflachlamp gan fod ei ddwylo'n crynu gymaint. Dyma beth oedd darganfyddiad! Hen stafell danddaearol gudd y Rhufeiniaid, yn dyddio 'nôl rai canrifoedd. Ond pam cuddio fan hyn? Yna, cofiodd am stori Arianrhod y noson cynt. Efallai bod y stori'n wir!

'Rhodri! Ti'n dawel iawn – beth sy'n mynd drwy

dy feddwl di?' gofynnodd Megan o'r diwedd. 'Dere mla'n. Ti yw'r un sy'n deall popeth am arteffacte hynafol. Beth yw'r rhain i gyd?'

Cliriodd Rhodri ei wddw cyn dechrau siarad. 'Mae'n debyg mai fan hyn ma Jack y daeargi wedi bod yn dod i siopa'n ddiweddar,' meddai gan droi i wynebu'r lleill. 'Fel y gwelwch chi, ry'n ni mewn stafell danddaearol a oedd yn arfer bod yn berchen i'r Rhufeinied, dybiwn i. Falle mai fan hyn fuon nhw'n aros cyn ymosod ar lwyth y Celtiaid yng Nghastell Henllys. Gallen nhw fod wedi aros 'ma am gyfnod hir yn dysgu am yr ardal ac yn cynllwynio'u hymosodiad. Chi'n cofio stori Arianrhod neithiwr, pan ddwedodd hi ei bod hi a Bronwen wedi gweld y frwydr ysbrydol rhwng y Celtied a'r Rhufeinied? Chi'n cofio brawddeg ola'r Prif Rufeiniwr? "Mi fydd hi'n braf cael cysgu â'n traed *ar* y ddaear heno, gyfeillion." Wel, mae'n amlwg 'i fod e'n gweud hynny oherwydd 'u bod nhw wedi bod yn cysgu *o dan y ddaear* am gymaint o amser. Ydw i'n gwneud synnwyr?'

Nodiodd y lleill eu pennau'n araf. Doedd yr un ohonyn nhw wedi cymryd stori Arianrhod o ddifrif, gan gredu mai ffrwyth ei dychymyg hi oedd y cwbwl. Ond erbyn meddwl, roedd yr hyn a ddywedodd Rhodri'n gwneud synnwyr.

Fflachiodd Deian y golau i gyfeiriad y silff unwaith eto. 'Felly, rwyt ti'n credu bod y pethe 'ma wedi bod fan hyn ers dwy fil o flynyddo'dd? Hynny yw, ni yw'r rhai cynta i weld y stafell hon a'r holl drysor 'ma sydd ynddi ers i'r Rhufeinied ad'el y wlad?'

Nodiodd Rhodri ei ben yn araf. 'Ydw, dwi'n eitha siŵr o hynny,' meddai'n gadarn.

'Ond pam fyddai'r Rhufeinied wedi mynd oddi yma heb yr holl bethe 'ma? Pam gad'el yr holl gyfoeth ar ôl? Dyw e ddim yn gneud synnwyr i fi!' ychwanegodd Glyn gan grafu'i ben.

'Ma'n rhaid 'u bod nhw wedi ca'l 'u gorfodi i ad'el ar frys,' aeth Rhodri yn ei flaen. 'Falle bod rhyw lwyth arall o Geltied wedi ymosod arnyn nhw – pwy a ŵyr? Ond ma'n rhaid bod rhwbeth go ddifrifol wedi digwydd i wneud iddyn nhw ad'el y rhain ar ôl – ti'n iawn fan'na.'

Gyda hynny, clywodd y plant sŵn dail yn crensian, a daeth Jack y daeargi bach i ymuno â nhw drwy dwll cwningen a arweiniai'n syth i mewn i'r stafell danddaearol.

'O! Jack, dere 'ma! Da iawn ti, boi!' canmolodd Rhodri ef a'i fwytho'n chwareus ar ei war. 'Wnes i hala Jack i nôl rhywun i'n helpu ni – fe ddeallodd e, a'ch arwain chi yma aton ni.'

Edrychodd Glyn, Deian a Jac ar ei gilydd mewn penbleth. 'Nid Jack dda'th â ni 'ma,' meddai Glyn yn dawel. 'Welson ni mo Jack o gwbwl. Digwydd dod yma i whilo amdanoch chi wnaethon ni.'

'Ond os nad atoch chi yr a'th Jack am help, at bwy a'th e?'

Atebwyd cwestiwn Rhodri ar unwaith wrth i ben Lleu ymddangos drwy'r hollt yn nenfwd y stafell danddaearol. Roedd ei lygaid yn pefrio yng ngoleuni fflachlamp Glyn.

'Wel, wel, wel,' meddai, â'i lais yn llawn syndod. 'Beth sy 'da ni'n fan hyn, 'te?'

17

Lleu-dr?

'Be wyt ti ishe, Lleu?' gofynnodd Glyn yn chwerw, wrth sylwi ar yr wyneb yn gwenu arno trwy'r bwlch yn y nenfwd. Doedd Glyn ddim wedi hoffi Lleu er pan daflodd e'r dwb afiach dros ei wallt wrth adeiladu'r tŷ crwn newydd. A doedd e'n sicr ddim wedi hoffi Lleu ers iddo'i amau o dorri i mewn i'w pebyll, a dwyn y tlws gwerthfawr o stafell Megan. Roedd Glyn wedi dweud o'r dechrau bod yna rywbeth od yn ei gylch, a nawr dyma fe – yn chwerthin am eu pennau wrth eu gweld yn gaeth yn y stafell danddaearol yma.

'Os wyt ti'n meddwl ein bod ni'n mynd i dy wylio di'n dwyn yr holl arteffacte gwerthfawr 'ma o dan ein trwyne ni, gelli di feddwl 'to!' cyhoeddodd Jac yn benderfynol. 'Falle dy fod ti wedi llwyddo i ddwyn y tlws, ond chei di ddim dwyn unrhyw beth arall, fe wnewn ni'n siŵr o hynny!'

'Dwyn y tlws? Am beth y'ch chi'n sôn?' gofynnodd Lleu, a golwg ddryslyd ar ei wyneb.

'Paid ag actio'n ddiniwed gyda ni!' arthiodd Deian arno, gan ddal i fflachio'r golau i'w wyneb. 'Ni'n gwbod taw ti 'nath – welson ni ti'n diflannu i'r goedwig ar ôl Jack heddi, a phan aethon ni 'nôl i'n pebyll ac i'r ganolfan, roedd y tlws wedi diflannu o stafell Megan – ac roedd ôl chwilio am y dorch wddw hefyd. Felly paid â gwadu. Hy! Lleu-dr. Dyna wyt ti!'

Rhoddodd Deian winc sydyn ar ei ffrindiau. Roedd e'n falch iawn o fod wedi meddwl am rywbeth mor wreiddiol. Lleu-dr! Un da!

'Hei! Arhoswch funud nawr. Dwi *wir* ddim yn gwbod am beth y'ch chi'n sôn,' protestiodd Lleu. 'Pan es i â Jack am dro i'r goedwig heddi . . . Aaaaaaaaa!'

'A phaid â dechrau'r hen sgrechen plentynnaidd 'na 'to! Dwyt ti ddim yn codi ofn arnon ni erbyn hyn!' meddai Megan yn ddewr.

Ond gyda hynny, dyma Lleu ei hun yn disgyn i mewn i'r stafell atyn nhw gan lanio'n boenus ar ei ysgwydd cyn rholio ar ei gefn a gorwedd yn ddiymadferth ar y ddaear. Daliodd Deian y golau arno am rai eiliadau, gan wylio'i frest yn symud i fyny ac i lawr gyda phob anadliad. Yna anelodd y fflachlamp i fyny i gyfeiriad y twll gan adnabod dau wyneb arall oedd yn gwenu i lawr arno. Bronwen ac Arianrhod.

'Diolch byth!' ebychodd Bronwen. 'Dyma ni wedi dod o hyd iddi o'r diwedd!'

'Ddwedes i y bydden ni'n llwyddo, on'd do? Ma

gwerth ffortiwn ar y silff draw fan'na!' gwichiodd Arianrhod yn frwd. 'A ddwedes i taw'r bwbach 'na fyddai'r un i'n harwain at y casgliad cyfan, yn do?'

Edrychodd Arianrhod ar Lleu heb boeni dim am ei anafiadau. Roedd y plant eisoes wedi rhewi yn eu hunfan. Ar ôl ychydig eiliadau o gredu bod Bronwen ac Arianrhod wedi dod i'w hachub, diflannodd y gobaith hwnnw'n fuan iawn. Roedden nhw wedi cael sioc ddychrynllyd wrth sylweddoli nad Lleu oedd y drwg yn y caws wedi'r cwbwl, ond y merched! Bellach roedden nhw'n teimlo trueni drosto. Beth os oedd e wedi cael ei anafu'n ddifrifol?

Rhuthrodd Rhodri draw at Lleu gan gydio yn y fflachlamp er mwyn gallu cymryd golwg fanylach arno. Chwarddodd Bronwen ac Arianrhod fel dwy hen wrach wrth wylio hyn.

'Dwy funud yn ôl roeddech chi'n 'i gyhuddo fe o bopeth dan haul! A nawr, dyma chi'n ceisio'i gysuro a'i helpu e! Gwnewch eich meddylie lan, wnewch chi!' Chwarddodd y ddwy eto. 'O ie, a Megan, diolch am hwn – mae'n fy siwtio i'r dim, ti'n cytuno?'

Edrychodd Megan yn wyllt ar Bronwen gan sylwi ar y tlws yn fflachio'n hardd ar ei gwisg Geltaidd draddodiadol. '*Ti* ddwgodd e!' meddai rhwng ei dannedd. 'Dwi ishe fe 'nôl, *nawr*!'

Chwarddodd y ddwy'n uchel unwaith eto. 'Dere, Arianrhod, dwi'n dechre ca'l digon o orwedd fan hyn ar 'y mola'n siarad â'r rhain pan ddylen ni fod yn casglu'r trysor 'ma i gyd,' meddai Bronwen gan godi ar ei heistedd. Diflannodd y ddwy o olwg y lleill am rai eiliadau cyn dychwelyd eto i geg yr hollt.

'Nawr, gwrandewch, y tacle! Dyma beth 'yn ni'n mynd i neud,' meddai Arianrhod, cyn mynd ymlaen i egluro y byddai Bronwen a hithau'n mynd i nôl offer i godi'r arteffactau o'r stafell danddaearol, a sachau i'w cario oddi yno'n ddiogel. 'Chi fydd yn pasio popeth lan i ni,' eglurodd ymhellach, 'achos os na newch chi, gewch chi aros fan hyn am *byth bythoedd*! Do's neb wedi dod o hyd i'r stafell 'ma mewn dwy fil o flynyddo'dd, felly gall dwy fil o flynyddoedd eto fynd heibio cyn y daw rhywun o hyd i'ch esgyrn chi'n gorwedd yn y llwch.'

Cyn i neb allu codi llais i brotestio, diflannodd y ddwy gan adael i'r criw droi eu sylw at Lleu unwaith eto.

'Lleu? Ti'n iawn?' gofynnodd Deian gan ysgwyd ei fraich yn ofalus.

Agorodd Lleu ei lygaid yn araf cyn codi ar ei eistedd a chydio'n dyner yn ei ysgwydd chwith. 'Odw, dwi'n ocê, dwi'n meddwl. Mae'n rhaid mod i mas ohoni am ychydig – mae mhen i'n brifo'n ofnadw.'

'Clyw Lleu, sdim llawer o amser 'da ni. Glywest ti beth ddwedodd Bronwen ac Arianrhod?' gofynnodd Glyn yn gyflym.

'B . . . Bronwen ac . . . Arianrhod? Be? Oedden nhw 'ma?' holodd Lleu yn ddryslyd.

'O'n! Nhw nath dy wthio di i mewn drwy'r twll yn y ddaear!' eglurodd Jac yn ddiamynedd.

'Nhw . . ?' holodd eto. 'Ond . . . pam?'

Cododd Lleu ar ei draed gan ymestyn i'w lawn daldra. Er ei fod yn ddyn tal a chyhyrog, roedd y twll yn y nenfwd y tu hwnt i'w afael.

'Ma'n flin 'da ni am dy ame di, Lleu,' meddai Deian yn lletchwith. 'Ry'n ni'n gwbod nawr mai Bronwen ac Arianrhod yw'r drwg yn y caws. Wnest di mo'u clywed nhw gynne fach, Lleu, ond ma nhw wedi bygwth ein gadel ni yma i bydru, tra'u bod nhw'n dianc gyda'r holl arteffacte Rhufeinig.'

Edrychodd Lleu'n bwyllog o un i'r llall. 'Ga i rannu cyfrinach 'da chi, blant?' meddai mewn llais tawel. Edrychodd y lleill arno'n llawn cyffro, ac anghofiodd Jac am y boen yn ei bigwrn am y tro. 'Mae gen i obsesiwn am arteffactau hynafol, o bob oes – Oes y Celtied, Oes y Rhufeinied . . . sdim ots pa un. Ta beth, ro'n i'n gweithio mewn amgueddfa yn Llunden sawl blwyddyn yn ôl bellach, pan glywes i un o'r staff yn sôn dros baned un diwrnod iddo dreulio'r penwythnos yng Nghymru, ac yn Sir Benfro'n arbennig, gan ymweld â bryngaer Castell Henllys. Ddwedodd e wrtha i, gan chwerthin gyda llaw, fod y ddwy Geltes o'dd yn byw 'ma'n honni 'u bod nhw wedi gweld ysbrydion yn rhyfela un noson – y Celtied yn erbyn y Rhufeinied, a bod y Rhufeinied wedi cyfaddef iddyn nhw dreulio cryn dipyn o amser yn gwylio'r fryngaer, "o rywle agos". Felly, dyma fi'n gadel fy swydd yn syth a dod i fyw yng Nghastell Henllys. Ro'n i'n siŵr y byddwn i'n dod o hyd i rywle tebyg i'r stafell hon yn yr ardal 'ma yn rhywle. A dyma ni, yn sefyll ynddi hi nawr.'

'Felly fe wnest ti ddarbwyllo Bronwen ac Arianrhod i adael i ti aros, ac i gredu dy fod ti'n dymuno byw fel nhw, fel Celt go iawn?' gofynnodd Bethan.

'Do, ro'dd neud hynny'n reit hawdd a gweud y gwir, gan 'u bod nhw'n dal i gael hunllefe am y frwydr ysbrydol, ac felly'n fwy na pharod i gael cwmni dyn i'w helpu i warchod y fryngaer. Ond yn ddiweddar, ro'n i'n dechre cael yr argraff 'u bod nhw'n fy ame i o ddweud celwydd.'

'Wel, do't ti ddim yn helpu dy hunan wrth ga'l ffôn symudol, a phrynu treiffls a sglodion a phethe felly!' dwrdiodd Rhodri'n ogleisiol.

'Na, dwi'n gwbod,' cytunodd Lleu. 'Ond ro'n i wedi rhoi'r ffidil yn y to erbyn hynny, a gweud y gwir. Ro'n i wedi whilio ymhob twll a chornel o'r goedwig 'ma, ond heb lwc. Yna, pan weles i Megan yn gwisgo'r tlws 'na, a'r llun o'r dorch wddw ar ffôn Glyn, dyma fi'n penderfynu mai gyda Jack y daeargi bach oedd yr ateb, ac mai fe fydde'n gallu fy arwain i at y trysore.' Camodd draw at y silff a chydio'n dyner yn y darnau arian, gan adael iddyn nhw ddisgyn rhwng ei fysedd yn ôl i'r ddysgl.

'Beth o't ti'n bwriadu'i neud wedyn? Eu gwerthu nhw? Eu cadw nhw? Eu cuddio nhw?' gofynnodd Glyn yn llawn amheuaeth. Doedd e'n dal ddim yn siŵr a allai ymddiried yn Lleu.

'Mynd at yr heddlu, wrth gwrs!' atebodd Lleu yn syth. 'Yna mi fyddai arbenigwyr ac archeolegwyr o bob cwr o'r byd yn dod yma i gloddio'r ardal ac mi fydden i'n enwog. Yn enwog am mai fi fyddai wedi darganfod y cwbwl. Dyna pam es i â Jack yn slei bach am dro amser cinio heddi. Dwi'n cyfadde, ro'n i'n hunanol yn trio darganfod y cwbwl fy hun, ond dwi wedi treulio blynyddo'dd yn archwilio'r goedwig 'ma a do'n i ddim am i ymwelwyr penwythnos fel chi gael y clod i gyd.'

Eisteddodd Lleu i lawr unwaith eto. Gallai'r lleill weld ei fod yn edifar am yr hyn roedd e wedi'i wneud.

'Ond gallwn ni anghofio am unrhyw glod o hyn mla'n. Fyddwn ni'n lwcus i ddod o 'ma'n fyw,' meddai Rhodri'n drist.

Edrychodd y lleill arno'n ddigalon. Tynnodd Glyn ei ffôn symudol o'i boced. 'O leia ma gyda ni lun o'r dorch wddw o hyd,' meddai, gan fyseddu'i ffordd drwy'r ffôn i ddod o hyd iddo. Edrychodd y lleill arno mewn anghrediniaeth.

'Glyn!' meddai Megan o'r diwedd. 'Ti wedi dod â dy ffôn?'

'Odw. Mae e wastad 'da fi, yn 'y mhoced i fan

hyn.' Clapiodd Glyn ei law yn erbyn poced isaf ei drowsus. Yna gwawriodd y peth arno! Wrth gwrs! Gallai ddefnyddio'i ffôn i alw am help! Dechreuodd ddeialu rhif y gwasnaethau brys – ond wrth wasgu'r botwm gwyrdd daeth neges ar y sgrin i ddweud nad oedd signal ar y ffôn. Gan eu bod yng nghanol y goedwig – ac yn waeth na hynny, o dan ddaear – roedd y ffôn yn hollol ddi-werth.

'Arhoswch eiliad,' meddai Rhodri gan syllu i'r gwacter wrth feddwl yn galed. 'Ry'n ni'n anghofio am rywun all ein helpu i ddianc o fan hyn. Jack! Fe yw'r unig un sy'n gallu mynd mewn a mas o'r stafell 'ma drwy twll cwningen. Allwn ni ei anfon e i nôl help 'to, fel gwnaethon ni gynne!'

'Ond dyw ci ddim yn gallu egluro wrth neb beth sy'n digwydd, nag'yw e?' meddai Megan yn ddiamynedd. 'A hyd yn oed os bydd e'n digwydd mynd i gyfeiriad y ganolfan, fydd e ddim yn gallu agor y drws i'r porthdy na'r campyr-fan, na fydd?'

'Ond allwn ni deipio'r neges ar ffôn Glyn,' cynigiodd Rhodri o'r diwedd, gyda thinc obeithiol yn ei lais. Cydiodd yn y ffôn a thynnu llun o'r silff â'r holl arteffactau gwerthfawr arni. Yna, byseddodd neges yn gyflym cyn gwasgu 'Anfon' a rhoi'r ffôn yng ngheg Jack. 'Cer â hwn at Llinos,' meddai mewn llais awdurdodol. Sgrialodd Jack bach drwy'r twll ac allan i'r awyr iach unwaith eto, gyda'r ffôn yn ddiogel yn ei geg.

'Dyna ni,' meddai Rhodri'n falch. 'Dwi wedi anfon neges destun ynghyd â'r llun at Cai ac Aron. Cyn gynted ag y bydd Jack yn cyrraedd cyrion y goedwig bydd y ffôn o fewn cyrraedd signal ac felly'n anfon y neges, gobeithio. Os na chyrhaeddith Jack at Llinos, mi fydd y neges yn cyrraedd y bois. Mi ddaw *rhywun* i'n hachub, gewch chi weld!'

'Fydden i ddim yn codi ngobeithion, taswn i'n chi!' crawciodd llais drwy'r hollt yn y nenfwd. Llais Bronwen. Yn ei llaw chwith roedd hen sach a rhaff gref, hir wedi'i chlymu yn un pen. Yn ei llaw dde daliai ffôn symudol Glyn. Claddodd Rhodri ei ben yn ei ddwylo.

'Fe wna i ddêl â chi. Llenwch chi'r sache 'ma a'u rhoi nhw ar waelod y twll i mi allu 'u codi nhw mas, a wna i ollwng y ffôn 'ma i chi cyn i ni adael.'

Edrychodd y plant ar Lleu, ac yna ar ei gilydd. Doedd ganddyn nhw ddim dewis ond ufuddhau.

18

Adre'n ôl

Chymerodd hi fawr o amser i'r plant lenwi tair sach a'u gosod o dan yr agoriad er mwyn i Bronwen ac Arianrhod eu codi at lawr y goedwig. Wrth lenwi'r sachau roedd hi'n hawdd gweld bod gwerth miloedd ar filoedd o bunnau yno, a bod yr arteffactau bron i gyd mewn cyflwr eithriadol o dda. Gan nad oedden nhw wedi'u claddu mewn pridd, ond yn hytrach yn eistedd ar silff mewn stafell danddaearol, roedd yr aur a'r arian wedi llwyddo i gadw'n dda, gyda nifer o'r patrymau a'r cerfiadau'n dal yn berffaith glir arnyn nhw.

'Byddai unrhyw amgueddfa'n fodlon cyfnewid popeth sydd gyda nhw am gynnwys y sachau hyn,' meddai Lleu'n dawel, wrth aros i Bronwen godi'r sachaid cyntaf allan drwy'r bwlch.

'Be ddwedest di, Lleu?' holodd Bronwen wrth gydio yn y rhaff. 'Rhwbeth am amgueddfa? Dyw'r rhain ddim yn mynd yn agos at unrhyw amgueddfa. Dwi'n gwbod am gasglwr preifat fydd wrth 'i fodd â'r rhain . . . *ac* yn talu ffortiwn i ni!'

'Ond mae'n *rhaid* i'r rhain fynd i amgueddfa!'

mynnodd Lleu. 'Fe ddylen nhw fod ar gael i bawb dros y byd gael 'u gweld nhw. Maen nhw'n amhrisiadwy!'

'Falle'u bod nhw'n amhrisiadwy, Lleu, ond mi gawn ni bris ardderchog amdanyn nhw, gei di weld!' Chwarddodd Bronwen eto cyn halio'r sach i fyny'n araf.

'Ym . . . all Arianrhod mo dy helpu di i dynnu'r sach 'ma lan 'te?' gofynnodd Lleu, gan gamu'n agosach at waelod y twll. Roedd y sach yn hofran ychydig yn uwch na'i ben, a gallai glywed Bronwen yn tuchan wrth geisio dal ei gafael ar y rhaff i'w chodi'n uwch.

'Odi, odi, ma hi ar ei ffordd,' atebodd Bronwen gan ddal i duchan, a gafael hyd yn oed yn dynnach yn y rhaff â'i dwy law gref.

'Sefwch 'nôl,' rhybuddiodd Glyn bawb, cyn neidio'n uchel a gafael yn y sach â'i holl nerth a'i bwysau. Llwyddodd i dynnu'r sach i lawr, a'r lleidr gyda hi! Daliodd Lleu Bronwen cyn iddi daro'r ddaear, a rholiodd y ddau yn y llwch wrth iddi golli'i thymer yn llwyr.

'Pwy 'nath hynna?' arthiodd yn flin.

'Fi,' atebodd Glyn yn falch. 'Reit 'te, dyna un ohonoch chi'n saff – beth am y llall?'

'Arianrhod! Paid â dod yn agos!' sgrechiodd Bronwen er mwyn rhybuddio'i ffrind.

Gosododd Lleu ei law fawr yn glep dros ei cheg a'i

thawelu. Gyda hynny, daeth Arianrhod yn ei hôl. Camodd i ymyl y bwlch a gweld ei ffrind yng nghanol y lleill.

'O, Bron! Be sy wedi digwydd?!' gofynnodd yn flin. 'Dere! Bydd raid i fi dy dynnu di mas. Cydia yn y rhaff, wnei di?!'

Tro Megan oedd hi i gael syniad nawr. Yn ei hymyl eisteddai Jack bach y daeargi yn gwylio pawb fel petai'n pendroni beth ar y ddaear oedd yn digwydd yn y stafell danddaearol ryfedd yma. Plygodd Megan i sibrwd yn ei glust, a diflannodd y daeargi mewn chwinciad drwy'r twll cwningen. Eiliadau'n ddiweddarach, wrth i Arianrhod baratoi i godi ei ffrind drwy'r twll, dyma synau chwyrnu'n llenwi'r lle, gyda sgrechiadau Arianrhod yn dilyn.

'Gad fi fod, gad fi fod . . . y mwnci bach â ti!' gwaeddodd wrth i Jack glecian ei ddannedd am ei phigyrnau, cyn iddi golli'i chydbwysedd yn llwyr a glanio yng nghanol y lleill â golwg ddychrynllyd ar ei hwyneb coch.

Estynnodd Bronwen ffôn symudol Glyn i Rhodri. 'Gwell i ti anfon y neges 'ma gyda Jack wedi'r cwbwl,' meddai, 'neu fe fyddwn ni i gyd yn pydru yn y lle yma.'

* * *

Eisteddai'r pedwar bachgen yng nghefn y campyr-fan, yn wên o glust i glust. Roedden nhw ar eu ffordd adref o'r diwedd, yn dilyn sesiwn hir o gwestiynau gan yr heddlu, a hyd yn oed rhagor o gwestiynau gan newyddiadurwyr a gohebwyr y wasg. Cafodd ardal Castell Henllys a Chanolfan Pentre Ifan ei thrawsnewid yn gyfan gwbl o fewn ychydig oriau'n unig, wedi i'r newyddion fynd ar led fod yna archwiliad archaeolegol manwl i ddigwydd yn y goedwig gyfagos yn dilyn un o ddarganfyddiadau mwyaf y ganrif. Roedd teithwyr ychwanegol gyda nhw ar eu ffordd adref, sef Lleu, Megan a Bethan. Roedden nhw'n gwenu'n braf hefyd – am nifer o resymau.

'Chi'n meddwl y byddwn ni ar y teledu heno?' gofynnodd Glyn yn gyffro i gyd.

'Am y canfed tro Glyn, ydw, dwi *yn* meddwl y byddwn ni ar y teledu heno! Nawr, paid â gofyn 'to!' atebodd Megan. Gwenodd y ddau.

'Dwi heb fod ar y teledu o'r blaen!' aeth Glyn yn ei flaen.

'Wel mi fyddi di heno!' meddai Lleu, 'yn enwedig gan mai ti oedd y mwyaf siaradus – o bell ffordd!'

'Wnes i ddim siarad gormod, naddo fe?' holodd Glyn yn fwy petrus.

'Glyn, ti wastad yn siarad gormod!' atebodd Rhodri yn bendant. 'Hei Lleu, pryd wyt ti'n meddwl y cei di, Cai ac Aron ddechre ar y gwaith o helpu i lanhau ac adfer yr holl arteffacte 'na?'

'Cyn hir, gobeithio. Dwi ddim am fynd 'nôl i Gastell Henllys i weithio, felly gorau po gynta.'

'Chi'n meddwl y bydd yr heddlu'n cosbi Bronwen ac Arianrhod am yr hyn wnaethon nhw?' holodd Bethan. Roedd y cwestiwn wedi bod yn troi yn ei phen byth ers iddi wylio'r ddwy'n cael eu harwain i ffwrdd mewn car gyda dau heddwas.

'Dwi ddim yn meddwl 'ny,' atebodd Lleu yn onest. 'Ar wahân i'n bygwth ni, trachwant o'dd 'u hunig drosedd. Trio dal ar y cyfle i neud ffortiwn glou wnaethon nhw. Roedden nhw wedi dyfalu pam ro'n i wedi dod i fyw atyn nhw yn y fryngaer, ac felly roedden nhw'n aros i mi ddod o hyd i'r arteffactau, cyn mynd â'r cyfan oddi wrtha i.'

'Ma un peth yn dal i nrysu i,' meddai Rhodri, gan edrych ar Glyn a Megan bob yn ail. 'Beth wnest ti Megan sibrwd yng nghlust Jack i wneud iddo ymosod yn chwareus ar Glyn fore Sadwrn, ac yna ar Arianrhod ganol nos neithwr?'

Tarodd Megan ei bys yn ysgafn yn erbyn ochr ei thrwyn. ''Y nghyfrinach fach i yw honna – falle y daw hi'n handi rywbryd 'to!'

Arafodd y campyr-fan wrth agosáu at dŷ Glyn, a chododd Glenys Davies oddi ar ei phengliniau yn yr ardd flaen i groesawu ei mab adref.

‘Wel, Glyn bach!’ meddai’n ffwdanus. ‘Mi brynais i ffôn symudol i ti er mwyn i ti allu ffono bob hyn a hyn, ond chlywes i ’run gair gen ti drw’r penwthnos!’

‘Sori, Mam, ond o’dd y signal yn wael lawr ’na!’ atebodd Glyn. Trodd i dynnu’i fag a’i sach gysgu (a oedd yn anarferol o drwm, gyda llaw!) trwy ddrws y campyr-fan cyn ffarwelio â’i ffrindiau a chau’r drws yn glep.

‘Wel, beth fuest ti’n neud ’te, Glyn bach?’ gofynnodd ei fam wrth i’r ddau gerdded yn hamddenol i gyfeiriad y drws ffrynt.

‘Dewch i ni gael gwylio’r newyddion, Mam,’ atebodd Glyn. ‘Mi gewch chi glywed yr hanes i gyd wedyn!’